Annette Matzke
Stefan Bogdanov
Katharina Bieri
Kathrin Rieder

Bienenprodukte und Apitherapie

Band 4

Fachschriftenverlag des Vereins deutschschweizerischer
und rätoromanischer Bienenfreunde

Dank

Der Zentralvorstand des VDRB, die Buchkommission und die Projektleitung danken
- den Autorinnen und Autoren für ihr grosses, persönliches und zeitliches Engagement, ihre Ausdauer bei der Textarbeit und ihren Fleiss beim Zusammentragen und Auswählen des grossen Fachwissens,
- den Textleserinnen und -lesern für ihre wichtige Arbeit im „Verborgenen",
- den Mitarbeiterinnen und Mitarbeitern des Zentrums für Bienenforschung Liebefeld für ihre begleitende Beratung,
- der Gestalterin und dem Gestalter für die konstruktive, angenehme Zusammenarbeit und ihre kreative, kompetente, formgebende Arbeit,
- den Fotografinnen und Fotografen für ihre einmaligen Bildbeiträge aus nah und fern,
- den Lektorinnen und der Korrektorin für ihre kritischen und klärenden Textkorrekturen.

Impressum

Zentralvorstand VDRB: Hanspeter Fischer (Präsident), Berchtold Lehnherr, Heinrich Leuenberger, Hans Maag, Hansjörg Rüegg, Gebhard Seiler, Hans-Georg Wenzel

Buchkommission: Hansjörg Rüegg (Vorsitz), Peter Fluri, Christoph Joss, Matthias Lehnherr, Markus Schäfer, Gebhard Seiler

Projektleitung: Matthias Lehnherr (Gesamtleitung) und Markus Schäfer
Redaktion Band 4: Annette Matzke, Matthias Lehnherr
Lektorat: Eva Woodtli Wiggenhauser
Korrektorat: Annemarie Lehmann

Gestaltung: Wiggenhauser & Woodtli, Zürich
Scanbelichtungen und Druck: Trüb-Sauerländer AG, Aarau

© Fachschriftenverlag VDRB
17., neue Auflage 2001

Alle Rechte vorbehalten.
Nachdruck oder Vervielfältigung des Buches oder von Teilen daraus nur mit ausdrücklicher Genehmigung des Verlages.

Fachschriftenverlag VDRB
Postfach 87
6235 Winikon
www.vdrb.ch

ISBN 3-9522157-3-2

Die Deutsche Bibliothek – CIP-Einheitsaufnahme
Der schweizerische Bienenvater / Verein Deutschschweizerischer und Rätoromanischer Bienenfreunde. Winikon : Fachschriftenverl. VDRB
   ISBN 3-9522157-9-5

   Bd. 4. Bienenprodukte und Apitherapie / Annette Matzke ...
   - 17., neue Aufl.. - 2001
   ISBN 3-9522157-3-2

Der Schweizerische Bienenvater erschien erstmals 1889, im Selbstverlag der Verfasser J. Jeker, U. Kramer, P. Theiler. Die Autoren veröffentlichten in dieser **Praktischen Anleitung zur Bienenzucht** ihre Vorträge, die sie an Lehrkursen über Bienenzucht gehalten hatten.

Der „Schweizerische Bienenvater" hatte Erfolg. Durchschnittlich alle sieben Jahre erschien eine Neuauflage. Der Inhalt wurde dabei oft überarbeitet und erneuert. Zweimal seit seinem Erscheinen wurde das Standardlehrwerk vollständig neu geschrieben: 1929 (11. Auflage) von Dr. h.c. Fritz Leuenberger und 2001 (17. Auflage) von einem grossen Autorinnen- und Autorenteam.

Diese 17. Auflage erscheint erstmals in fünfbändiger Form, umfasst rund 550 Seiten und ist thematisch völlig neu gewichtet:

Band 1
Imkerhandwerk
Einer Imkerin und einem Imker über die Schulter geguckt – Aufbau einer Imkerei – Ökologische und ökonomische Bedeutung der Imkerei – Pflege der Völker im Schweizerkasten und im Magazin – Wanderung – Waben und Wachs – Massnahmen bei Krankheiten – Organisationen der Imkerei

Band 2
Biologie der Honigbiene
Anatomie und Physiologie – Drei Wesen im Bienenvolk – Lebenszyklus des Volkes und Massenwechsel – Lernfähigkeit und Verständigung – Krankheiten und Abwehrmechanismen

Band 3
Königinnenzucht und Genetik der Honigbiene
Einem Königinnenzüchter über die Schulter geguckt – Technik der Zucht – Begattung der Königin – Königinnen verwerten – Vererbungslehre – Züchtungslehre – Erbgut der Honigbienen in Mitteleuropa – Organisation der Züchterinnen und Züchter

Band 4
Bienenprodukte und Apitherapie
Honig, eine natürliche Süsse – Pollen, eine bunte Vielfalt – Bienenwachs, ein duftender Baustoff – Propolis, ein natürliches Antibiotikum – Gelée Royale, Futtersaft mit Formkräften – Bienengift, ein belebender und tödlicher Saft – Apitherapie

Band 5
Natur- und Kulturgeschichte der Honigbiene
Naturgeschichte: Insekten, die unterschätzte Weltmacht – Bienen – Wespen – Ameisen – Was kreucht und fleucht ums Bienenhaus? Kulturgeschichte: Ursprungsmythen und Symbolik – Vom tausendfältigen Wachs – Geschichte der europäischen Bienenhaltung und -forschung

Inhalt

	Bildnachweis	6
1	Honig – eine natürliche Süsse *(Stefan Bogdanov, Annette Matzke)*	7
1.1	Nektar und Honigtau: Quellen des Honigs	8
1.2	Bienen bereiten den Honig	10
1.3	Honig ernten und lagern	11
1.4	Honig kristallisiert	16
1.5	Honig verflüssigen	20
1.6	Physikalische Eigenschaften des Honigs	22
1.7	Was der Honig enthält	23
1.8	Was der Honig bewirkt	27
1.9	Honigsorten und Honigdeklaration	28
1.10	Honigsensorik	32
1.11	Honigkontrolle und Honigqualität	33
1.12	Produktion, Konsum und Handel von Honig	38
2	Pollen – eine bunte Vielfalt *(Katharina Bieri, Stefan Bogdanov)*	41
2.1	Bienen sammeln Pollen	42
2.2	Was ist Pollen?	43
2.3	Pollen(höschen) ernten	44
2.4	Bienenbroternte	45
2.5	Pollen verarbeiten und lagern	46
2.6	Was Pollen enthält und wie er wirkt	47
2.7	Bedeutung für die Ernährung und für die Gesundheit	50
2.8	Qualität von Pollen	50
2.9	Vom Handel mit Pollen	51
3	Bienenwachs – ein duftender Baustoff *(Stefan Bogdanov, Annette Matzke)*	53
3.1	Bienen erzeugen Wachs	54
3.2	Bienenwachs aus Waben gewinnen	55
3.3	Wachs entfärben	58
3.4	Bienenwachs richtig lagern	58
3.5	Was Bienenwachs enthält	59
3.6	Qualität von Bienenwachs	61
3.7	Mittelwände produzieren	62
3.8	Zahlen zur Wachswirtschaft	63
3.9	Gesetzliche Vorschriften	63
3.10	Bienenwachs wird vielseitig verwendet	63

4	Propolis – ein natürliches Antibiotikum *(Stefan Bogdanov, Annette Matzke)*	65
	4.1 Bienen sammeln Propolis	66
	4.2 Propolis ernten	67
	4.3 Propolis lagern und verarbeiten	68
	4.4 Was Propolis enthält und wie sie wirkt	68
	4.5 Qualität von Propolis	70
5	Gelée Royale – ein Futtersaft mit Formkräften *(Stefan Bogdanov, Annette Matzke)*	73
	5.1 Bienen erzeugen Gelée Royale	74
	5.2 Spezialisierte Imkereien sammeln Gelée Royale	74
	5.3 Gelée Royale reinigen und lagern	75
	5.4 Was Gelée Royale enthält	75
	5.5 Bedeutung für die Ernährung und die Gesundheit	77
	5.6 Qualität von Gelée Royale	77
	5.7 Vom Handel mit Gelée Royale	78
6	Bienengift – ein belebender und tödlicher Saft *(Stefan Bogdanov, Kathrin Rieder)*	79
	6.1 Bienen produzieren Bienengift	80
	6.2 Bienengift ernten und lagern	80
	6.3 Was Bienengift enthält und wie es wirkt	82
	6.4 Qualität von Bienengift	84
	6.5 Reaktion auf Bienenstiche und Bienengiftallergie	85
7	Apitherapie *(Kathrin Rieder, Annette Matzke)*	87
	7.1 Heilender Honig	88
	7.2 Starker Pollen	92
	7.3 Schützende Propolis	93
	7.4 Belebender Gelée Royale	94
	7.5 Pflegendes Bienenwachs	95
	7.6 Heilsames Bienengift	96
	7.7 Homöopathische Biene	97

Quellen 98
Weiterführende Literatur 101
Register 103

Bildnachweis

28 Archiv der Schweizerischen Bienen-Zeitung; **38** Bettoni, J.; **13 u, 19, 41, 43, 51 u, 66** Bienen-Meier, Künten; **26, 27** Bieri, K.; **54** Bogdanov, S.; **51 o** Exagon Zürich; **20** Gekeler, W.; **2–6, 15, 16, 18, Tabelle 8, 29, 30, 31, 33** Hättenschwiler, J.; **60** Kuhn, L.; **11, 21, 22, 56** Lehnherr, B.; **10, 37, 39, 42, 45, 46, 51 r, 61, 73, 74** Lehnherr, M.; **50, 57** Matzke, A.; **67–72** Rieder, K.; **34** Wyss, W.; **65** Simics, M.; **52** Six, J.; **1, 7, 8, 9, 12, 17, 40, 47, 48, 49, 53, 55, 58, 59, 62, 63** Spürgin, A.; **35, 36, 44** Thomas, HU.; **13 o, 25** VDRB-Diaserie; **61, 66** VSI; **14, 23, 24** Zentrum für Bienenforschung Liebefeld

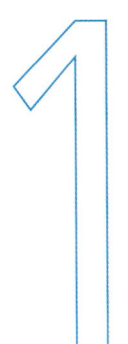

Honig – eine natürliche Süsse

Stefan Bogdanov
Annette Matzke

Die beiden Rohstoffquellen für Honig sind Nektar und Honigtau. Die Sammelleistung eines Bienenvolkes hängt von verschiedenen Faktoren ab: vom Nektar- oder Honigtauangebot, von der Witterung, von der Verfassung des Volkes.

Angenommen, die Honigblase würde bei jedem Sammelflug mit 50 mg gefüllt, dann wären 100 000 Flüge nötig, um 5 kg Nektar oder Honigtau einzubringen. Diese ergeben 1–4 kg Honig. Da ein mittelstarkes Bienenvolk ungefähr 10 000 Sammelbienen hat, müsste jede von ihnen zehnmal täglich ausfliegen. Von diesem theoretischen Honigertrag muss ein beträchtlicher Teil als Nahrung während des Fluges und für das Volk abgezogen werden.

Abb. 1
Nektar- und Pollensammlerin auf Weidenröschen

Abb. 2
Honigtausammlerin auf Rottanne

Honig – eine natürliche Süsse

1.1 Nektar und Honigtau: Quellen des Honigs

Nektar

Nektar wird von den Nektardrüsen der Blüten ausgeschieden und ist in erster Linie eine Zuckerlösung unterschiedlicher Konzentration (5–80 %). Die Trockensubstanz besteht aus etwa 95 % Zucker, der Rest sind Aminosäuren (ca. 0,05 %), Mineralstoffe (0,02–0,45 %), organische Säuren, Vitamine und Aromastoffe. Jeder Pflanzennektar hat eine individuelle Zuckerzusammensetzung. Hauptzucker sind Saccharose, Fructose (Fruchtzucker) und Glucose (Traubenzucker), deren Anteil je nach Pflanzenart unterschiedlich gross ist. Bei den meisten Leguminosen (z. B. Klee, Akazie) ist Saccharose vorherrschend. Raps- und Sonnenblumennektar enthalten dagegen mehrheitlich Fructose und Glucose. Sobald der Nektar in Honig umgewandelt ist, sind nur noch die beiden Einfachzucker Fructose und Glucose in unterschiedlichem Mischverhältnis vorhanden. Es gibt Honige mit mehr Fructose (Akazie, Kastanie) und andere mit mehr Glucose (Raps, Löwenzahn).

Die Nektarproduktion der Pflanzen hängt hauptsächlich vom Klima und von der Bodenbeschaffenheit ab. Es ist deshalb nicht möglich, die Nektarproduktion vorauszusagen. Bei sonniger und warmer Witterung und guter Bodenfeuchtigkeit sind die Hauptbedingungen für einen guten Nektarfluss gegeben. Je grösser die Nektarmenge und je höher der Zuckergehalt ist, desto mehr wird die Pflanze von den Bienen beflogen.

Die Beurteilung der Nektarproduktion einer Pflanze erfolgt anhand des Zuckerwertes. Dieser Wert wird aus der Zuckerkonzentration (in %) und der Menge (in mg) des Nektars berechnet, den eine Blüte innerhalb von 24 Stunden absondert. Er ist nahezu konstant und für jede einzelne Pflanze charakteristisch.

Die Herkunft des Nektars, den die Bienen eintragen, lässt sich mit Hilfe der Pollenanalyse feststellen (→ S. 37) (149–151)

Abb. 3
Nektartropfen in aufgeschnittener, männlicher Weidenblüte

Auf dem Blütengrund, an der Basis der Staubfäden, scheiden die Nektarien tröpfchenweise wasserklaren Nektar aus.

Auf den männlichen Weidenblüten sammeln die Bienen viel Blütenstaub (Pollen) und Nektar, auf den weiblichen Weidenblüten nur Nektar.

Honigtau

Abb. 4
Tannenhoniglaus
Auf der Weisstanne ist die grüne Tannenhoniglaus *(Cinara pectinatae)* der wichtigste Honigtaulieferant für den beliebten Weisstannenhonig. Die Prognose der Trachtmenge kann durch Zählen der Honigtautropfen oder durch Überprüfung des Lausbefalls vorausgesagt werden (85). Weisstannenhonig schmeckt malzig-würzig und ist braungrün.

Abb. 6
Stark bemehlte schwarze Fichtenrindenlaus
Von den Imkern besonders gefürchtet ist die stark bemehlte schwarze Fichtenrindenlaus *(Cinara costata)*, weil sie melezitosereichen Honigtau produziert. Daraus entsteht im Bienenstock der nicht schleuderbare Melezitose- oder Zementhonig (→ Abb.12, S. 13). Diese Lausart fällt durch ihr weisses Wachsmehl auf und bildet dichte Kolonien auf den Fichtenzweigen.

Abb. 5
Fichtenrindenlaus
Die rotbraune bepuderte Fichtenrindenlaus *(Cinara pilicornis)* ist der wichtigste Honigtaulieferant auf der Rottanne (Fichte). Die Honigtauproduktion dieser Lausart ist sehr witterungsabhängig. Nebst Rindenläusen (Lachniden) findet man aber auch Schildläuse (Lecanien) auf der Fichte. Der Honigtau kann deshalb von verschiedenen Läusen stammen. Rottannenhonig schmeckt würzig und hat eine rote bis dunkelbraune Farbe.

Abb. 7
Ahornborstenlaus
Auf der Unterseite des Ahornblattes befinden sich gelbbraune Borstenläuse unterschiedlichen Alters *(Periphyllus lyropictus)*, die (zusammen mit anderen Lausarten) bedeutende Mengen von Honigtau absondern. Die Honigtauproduktion findet im Mai statt, zur Zeit der Blüte. Deshalb ist Ahornhonig ein Blüten- und Blatthoniggemisch. Er ist mild im Geschmack und gelblich bis hellbraun.

Die zuckerhaltigen Ausscheidungsprodukte pflanzensaugender Insekten werden als Honigtau bezeichnet. Für die Bienen sind jene Läuse am wichtigsten, die sich vom Siebröhrensaft der Pflanzen ernähren. Die Läuse brauchen für sich hauptsächlich die Stickstoffverbindungen. Honigtau geben sie in Form von Tropfen ab, nachdem sie ihn mit Fermenten angereichert haben.

Der Honigtau ist eine 5–20 %ige Zuckerlösung, die jedoch schon auf der Pflanze zu 30–60 % Zucker eintrocknen kann. Die Trockensubstanz besteht aus 90–95 % Zucker, aus kleinen Anteilen von etwa 0,2–1,8 % Stickstoffsubstanzen (Aminosäuren, Eiweisse) und aus Mineralstoffen, Säuren und Vitaminen. Der Hauptzucker des Honigtaus ist Saccharose. Im Unterschied zum Nektar enthält der Honigtau unterschiedliche Mengen Mehrfachzucker, vor allem Melezitose. Der Honigtauanteil eines Mischhonigs aus Nektar und Honigtau lässt sich aus dem Anteil der Honigtauelemente (Algen, Pilze usw.) mikroskopisch bestimmen. Die Honigtauelemente geben aber keinen Aufschluss darüber, von welcher Laus oder von welchen Bäumen der Honigtau stammt.

Im Gegensatz zum Nektar kann das zu erwartende Angebot beim Honigtau anhand des Lausbefalles im Frühling prognostiziert werden (81, 85).

1.2 Bienen bereiten den Honig

Die Sammelbienen saugen den Honigrohstoff mit ihrem Rüssel auf, speichern ihn in der Honigblase und bringen ihn ins Volk. Dort wird der Saft von den Stockbienen übernommen und von Stockbiene zu Stockbiene weitergegeben, bis er schliesslich in eine Wabe gefüllt wird. Während dieser Weitergabe durchläuft der Honigrohstoff einen Verarbeitungsprozess: Die Sammelbienen und auch die Stockbienen fügen dem Rohstoff Sekrete aus Futtersaft- und Speicheldrüsen hinzu. Auf diese Weise erhält der Rohstoff Enzyme, die das Zuckerbild des Honigs verändern: Das Enzym Invertase (Saccharase) spaltet Saccharose in Fructose und Glucose (Invertierung oder Bildung von „Invertzucker"). Die Diastase (Amylase) spaltet Stärke zu Maltose, und die Glucose-Oxidase bildet Glucose zu Gluconsäure und Wasserstoffperoxid um. Das Wasserstoffperoxid und andere Säuren, die von den Bienen dazugemischt werden, wirken antibakteriell (→ S. 28). Die Stockbienen verringern ausserdem durch das häufige Weitergeben und durch zusätzliches Ventilieren den Wassergehalt des Saftes. So wird der Saft haltbar. Die warme Luft des Bienenstocks (35 °C) begünstigt die Wasserverdunstung ebenfalls. Erst wenn das Honigrohprodukt nur noch 30–40 % Wasser enthält, wird es erstmals in Waben gefüllt. Dort wird nach ein bis drei Tagen der Wassergehalt durch weiteres Ventilieren nochmals auf etwa 20 % oder weniger gesenkt. Die Bienen tragen es wiederholt um, lagern schliesslich den reifen Honig in die Zellen ein und verdecken diese.

1.3 Honig ernten und lagern

Wassergehalt des Honigs

Enthält der Honig weniger als 20% Wasser (Heidehonig max. 23%), gilt er als reif. Je weniger Wasser der Honig enthält, desto haltbarer ist er. Höherer Wassergehalt fördert die Gärung. Nur Honige mit weniger als 17% Wassergehalt gären nicht (88). Der meiste in der Schweiz geerntete Honig hat weniger als 18% Wasser (Tab. 9, S. 34). Massentrachthonige wie Rapshonig und Kastanienhonig haben oft einen etwas höheren Wassergehalt (18–19%). Der Wassergehalt hängt nicht nur von der Tracht (Honigrohstoffquelle), sondern auch vom Klima und vom Bienenkasten ab. Er ist in der Magazinbeute höher als im Schweizerkasten und an feuchten, wenig besonnten Orten höher als an trockenen, sonnigen.

Um die Reife des Honigs festzustellen, kann der Wassergehalt mit dem Refraktometer gemessen werden (Abb. 8 und 9). Die meisten Imkerinnen und Imker jedoch überprüfen den Reifegrad des Honigs in unverdeckelten Honigwaben durch die Stossoder Spitzprobe. Dabei wird die Honigwabe waagrecht gehalten und mehrmals kräftig nach unten gestossen. Tropft kein Honig heraus, gilt der Honig als reif. Zusätzlich wird die Trachtlage beurteilt: Während der Rapsoder Löwenzahnblüte dürfen keine unverdeckelten Honigwaben geerntet werden.

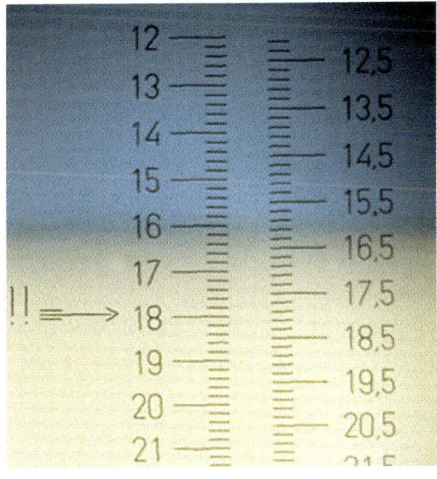

Abb. 8
Blick durch das Handrefraktometer
Der Wassergehalt des Honigs kann auf der Prozentskala abgelesen werden. Er beträgt bei dieser Honigprobe 16%.

Abb. 9
Handrefraktometer
Das Handrefraktometer ist ein einfaches Instrument zur Bestimmung des Wassergehalts. Das Gerät muss regelmässig geeicht und nach jedem Gebrauch gut mit Wasser gereinigt werden. Es darf nur flüssiger Honig gemessen werden, denn kristallisierter Honig zerkratzt das Messprisma.

1 Honig – eine natürliche Süsse

Bei einem sehr grossen Nektarangebot (Massentrachten) und feuchter Witterung können die Bienen den Wassergehalt des Honigs nicht genug senken. In diesem Fall kann der Imker mit technischer Hilfe den Wassergehalt reduzieren: Vier bis fünf Aufsätze mit Honigwaben werden so übereinander gestapelt, dass darunter ein Gebläse gestellt werden kann. Das Gebläse lässt trockene Luft über die Waben streichen (Bautrocknungsgebläse eignen sich gut dafür). Zusätzlich wird ein Luftentfeuchter aufgestellt. Auf diese Weise kann innerhalb von 48 Stunden der Wassergehalt um 1–2 % vermindert werden. Diese Trocknung ahmt die Ventilationsarbeit der Bienen nach. Sie ist schonend und verändert den Honig kaum. Es gibt allerdings noch andere, industrielle Honigtrocknungsmethoden, die weniger geeignet sind, weil dabei wertvolle Aromastoffe verloren gehen.

Ernte des Honigs

Die Honigernte beginnt mit der Entnahme der brutfreien Honigwaben. Der Imker muss die Waben mit Hilfe spezieller Geräte entdeckeln und schleudern – und zwar sofort, da Honig Wasser anzieht, wenn er nicht luftdicht verschlossen ist (→ Band „Imkerhandwerk", S. 28, 56 f.).

Nach dem Abschäumen wird entschieden, ob der Honig in Klein- oder in Grossgefässe abgefüllt wird (Abb. 13). Letzteres hat den Nachteil, dass der Honig später verflüssigt werden muss, was oft mit Qualitätseinbussen verbunden ist. Mit Vorteil wird die Kristallisation vor dem Abfüllen gelenkt, damit der Honig im Glas weich-kristallin und streichfähig bleibt (→ gelenkte Kristallisation, S. 18).

Abb. 10

Honig schleudern

Reifer Honig wird in einer gereinigten Schleuder ohne zusätzliche Erwärmung geschleudert. Am besten werden die Waben direkt nach der Entnahme aus dem Bienenkasten geschleudert, da sie dann noch warm sind und der Honig beim Schleudern gut herausfliesst. Der Honig läuft durch ein Sieb in einen sauberen Behälter. Das Sieb hält unerwünschte Fremdpartikel wie beispielsweise Wachs zurück. Pollen hingegen darf nicht entfernt werden. Deshalb soll die Maschenweite des Siebes nicht kleiner als 0,2 mm sein. Der Auffangbehälter wird luft- und wasserdicht verschlossen. So bleibt der Honig 3 bis 5 Tage stehen. Anschliessend wird der Honig abgeschäumt, gerührt und abgefüllt (→ S. 18).

Honig – eine natürliche Süsse

Abb. 11
Wabenhonig
Waben- oder Scheibenhonig ist eine hervorragende Spezialität. Wabenhonig sollte aber nur aus Imkereien stammen, die garantieren können, dass im Wachs keine Rückstände von Tierarzneimitteln enthalten sind.

Abb. 12
Zementhonig
In bestimmten Jahren, zuletzt 1999, erlebten die Imker und Imkerinnen eine böse Überraschung: Sie fanden in den Waben hart kristallisierten Melezitose- oder Zementhonig vor. Er enthält grössere Mengen des Mehrfachzuckers Melezitose. Melezitosehonig stammt vom Honigtau bestimmter Läuse der Rottanne und Lärche (→ Abb. 4–8). Er lässt sich schwer oder gar nicht schleudern und kann meistens auch bei höheren Temperaturen nicht verflüssigt werden. Obwohl es im Handel Maschinen für die Ernte von Melezitosehonig gibt, kann man hart auskristallisierten Melezitosehonig kaum ernten. Zementhonig hat keine guten sensorischen Eigenschaften und ist deshalb bei Konsumentinnen und Konsumenten nicht beliebt. Er ist als Winterfutter für die Bienen ungeeignet, da er Ruhr verursacht und zu Überwinterungsverlusten führt (73). Am besten lagert der Imker seine Waben mit Zementhonig bis zur nächsten Saison und füttert damit seine Bienen während der Trachtpause im Juni. Der Melezitosehonig wird umgetragen und vermischt sich mit der nächsten Honigernte.

Honig – eine natürliche Süsse

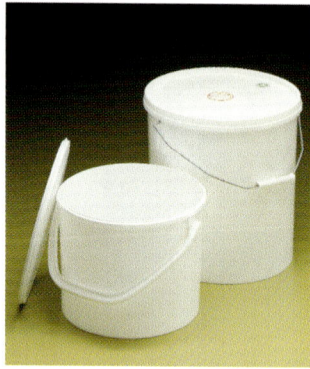

Abb. 13
Honiggefässe
Am besten wird der gesiebte und abgeschäumte Honig direkt in die luftdicht verschliessbaren Verkaufsbehälter abgefüllt (250 g, 500 g, 1 kg). Konsumenten bevorzugen die kleineren Gebinde von 250 g und 500 g.
Bevorzugte Gefässarten:
- für Kleingebinde (oben): Glas (am besten) oder Kunststoff. Kartondosen, die innen mit Paraffin beschichtet sind, sollten nicht mehr verwendet werden, da Honig mit Paraffin verunreinigt wird!
- für Grossgebinde (unten): (möglichst nur bis 20 kg) Eimer aus Chromstahl (am besten), Aluminium oder Kunststoff. Eimer aus Weissblech oder Metallfässer müssen innen eine intakte, lebensmitteltaugliche Schutzlackschicht aufweisen.

Richtige Lagerung

Honig ist ohne grosse Qualitätseinbussen mehrere Jahre haltbar, wenn er optimal gelagert wird:
- richtiges Gefäss (Abb. 13), luftdicht verschlossen
- kühl: 10 bis maximal 16 °C, möglichst geringe Temperaturschwankungen während des ganzen Jahres
- trocken: maximal 60 % Luftfeuchtigkeit
- dunkel

Wärme, Licht und Feuchtigkeit schaden dem Honig. Wärme und Licht zerstören die Enzyme. Besonders hitzelabil ist die Invertase. Durch eine zu hohe Erhitzung bei der Abfüllung, Verflüssigung und Lagerung des Honigs bildet sich im Honig zudem vermehrt HMF ($\rightarrow$ Hydroxymethylfurfural, S. 23). Lichteinwirkung vermindert die Inhibinwirkung des Honigs. Honig gehört daher nicht ins Schaufenster. Feuchtigkeit erhöht den Wassergehalt des Honigs, weil Honig Wasser anzieht. Dadurch wird Honig zum idealen Nährboden der Honighefe, die den Honig zur Gärung bringt. Besondere Aufmerksamkeit benötigt diesbezüglich Rapshonig. Dieser sollte weniger als 17 % Wasser enthalten, wenn er bei Zimmertemperatur ein Jahr lang gelagert wird. Kühle Lagertemperaturen sind bei Rapshonig vorteilhaft.
Anhand der Tabellen 1 und 2 kann abgeschätzt werden, wie hoch und wie lange der Honig erhitzt werden kann, ohne dass seine Qualität Schaden nimmt.

Tab. 1 **Zerstörung von Enzymen und Bildung von HMF bei der Lagerung von Honig**

Lagerungstemperatur °C	Zeit für die Bildung von 40 mg HMF/kg	Halbwertszeit* Diastase	Halbwertszeit* Invertase
10	10–20 Jahre	35 Jahre	26 Jahre
20	2–4 Jahre	4 Jahre	2 Jahre
30	0,5–1 Jahr	200 Tage	83 Tage
40	1–2 Monate	31 Tage	9,6 Tage
50	5–10 Tage	5,4 Tage	1,3 Tage
60	1–2 Tage	1 Tag	4,7 Stunden
70	6–20 Stunden	5,3 Stunden	47 Minuten

nach (147)

* Halbwertszeit: Zeit für die Abnahme der Enzymaktivität um 50 %.

Konsequenz für die Praxis:
- Kühle, dunkle Kellerräume sind optimal für die Honiglagerung.
- Estriche sind ungeeignet. Im Sommer sind sie zu heiss und die Temperatur schwankt zu stark.
- Ein offener, sonniger Verkaufsplatz auf dem Markt ist zwar schön, aber schlecht für die Honigqualität.

Tab. 2 **Licht zerstört die Inhibinwirkung des Honigs**

	verbleibende Inhibinwirkung nach 15-monatiger Lagerung bei Zimmertemperatur (20–25 °C)			
	von Nicht-Peroxid-Inhibinen		von Wasserstoffperoxid	
	Licht	dunkel	Licht	dunkel
Blütenhonig	76 %	86 %	19 %	48 %
Waldhonig	78 %	80 %	63 %	70 %

nach (8)

Konsequenz für die Praxis:
Honig auch im Verkaufsgeschäft dunkel lagern.

1 Honig – eine natürliche Süsse

Abb. 14
Honig richtig lagern
Der gleiche Rapshonig wurde unter verschiedenen Bedingungen gelagert. Links: helle Lagerung bei Zimmertemperatur; Mitte: dunkle Lagerung bei Zimmertemperatur; rechts: dunkle Lagerung bei 15 °C. Fazit: Honig wird dunkler, wenn er warm und hell gelagert wird.

Sauberes Arbeiten
Das Wichtigste in der Lebensmittelproduktion ist die Sauberkeit. Daher schreibt die Lebensmittelverordnung auch hygienische Anforderungen an die Lebensmittelproduktion vor. Bei der Honigernte muss der Imker in einem sauberen Raum, mit sauberen Händen und Kleidern arbeiten. Ausserdem muss er saubere Geräte und Gefässe benutzen.

1.4 Honig kristallisiert

Natürliche Kristallisation
Je nach Honigrohstoffquelle kristallisiert Honig unterschiedlich schnell und bildet unterschiedlich grosse Kristalle. Je schneller ein Honig kristallisiert, desto feiner sind die Kristalle. Kristallisiert er langsam aus, können sich grosse, grobe Kristalle bilden (Abb. 16). Dabei ändern sich Farbe und Beschaffenheit des Honigs. Entscheidend für die Kristallisationsgeschwindigkeit sind der Glucose- und Wassergehalt sowie die Lagertemperatur.

Honig mit mehr als 28 % Glucose kristallisiert mehr oder weniger rasch, in der Regel innerhalb von sechs Monaten. Der meiste in der Schweiz geerntete Blütenhonig kristallisiert relativ rasch (Ausnahmen sind Kastanien- und Akazienhonig, Tab. 8, S. 30). Bei Honigtauhonig spielt der Melezitosegehalt zusätzlich eine Rolle: Honig mit mehr als 10 % Melezitose kristallisiert sehr schnell, sogar bereits in den Waben (→ Abb. 12). Der meiste Honigtauhonig kristallisiert aber langsam, er bleibt sechs bis zwölf Monate flüssig.

Honig – eine natürliche Süsse

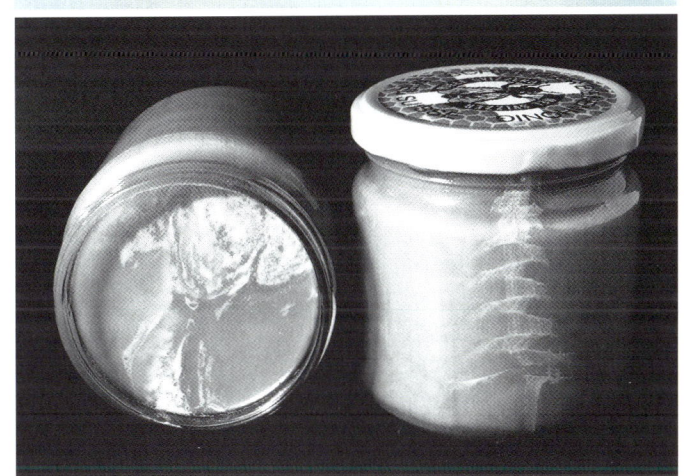

Abb. 15
Mutterlauge
In wasserreichen, kristallisierenden Honigen kann sich Mutterlauge bilden (Phasenbildung). Die obere Schicht enthält mehr Wasser als die untere, auskristallisierte.

Abb. 16
Grobe Honigkristallisation
Honig mit groben Kristallen. Langsam kristallisierender oder erhitzter Honig kristallisiert grob aus. Durch gelenkte Kristallisation kann dies vermieden werden.

Abb. 17
Gärender Honig
Höherer Wassergehalt fördert die Gärung (Fermentation). Auf der Honigoberfläche entstehen Luftblasen. Zwischen Honig und Deckel bildet sich ein Überdruck, der beim Öffnen des Gefässes deutlich hörbar entweicht. Gärender Honig riecht sauer. Da lebende Hefezellen Durchfall erzeugen, soll gärender Honig nur erhitzt, als Backhonig, verzehrt werden. Auch Bienen sollten keinen gärenden Honig erhalten, weil sie davon ebenfalls Durchfall bekommen.

Abb. 18
Blütenbildung
Bei besonders wasserarmen Honigsorten kann Blütenbildung auftreten. Wenn der Honig kristallisiert, entstehen zwischen Glaswand und Honig feinste Hohlräume, in die Luft eindringt. An diesen Stellen erscheint der Honig weisslich. Blütenbildung ist also ein natürlicher Prozess, der die Honigqualität nicht beeinträchtigt. Sie lässt sich nur durch gelenkte Kristallisation oder durch Abfüllen unter Vakuum verhindern.

Liegt der Wassergehalt des Honigs über dem optimalen Wert von 18 %, „schwimmen" die Kristalle besser und „finden daher weniger zueinander": Der Honig kristallisiert langsam. Enthält der Honig weniger als 15 % Wasser, nimmt die Viskosität zu und die Kristallisation wird auch in diesem Fall gehemmt.

Bei konstant 14–15 °C kristallisiert Honig am schnellsten mit relativ feinen Kristallen. Höhere Temperaturen erhöhen die Zuckerlöslichkeit und vermindern so die Kristallisationsgeschwindigkeit. Die gebildeten Kristalle sind gröber. Die Kristallisation wird durch tiefere Lagertemperaturen (unter 10 °C) gehemmt: Der Honig ist sehr zähflüssig, die Kristalle sind kaum beweglich, um zu wachsen.

Ein Honig kristallisiert folglich dann optimal, wenn er mehr als 28 % Glucose und 15–18 % Wasser enthält sowie bei 14–15 °C gelagert wird. Allerdings kann unter diesen Bedingungen nicht immer eine gute und feine Kristallisation erreicht werden. Dies ist oft nur durch eine Lenkung der Kristallisation möglich. Die Lagerung im Tiefkühlfach bewirkt eine vollständige Hemmung der Kristallisation von langsam kristallisierenden Honigen, während sehr schnell kristallisierende Honige (Raps, Löwenzahn) langsam, aber innerhalb eines Jahres fein auskristallisieren. Der Vorteil einer Lagerung im Tiefkühlfach liegt zudem darin, dass die biologische Wirksamkeit des Honigs am besten erhalten bleibt. Ein Nachteil ist der hohe Energieverbrauch der Tiefkühlgeräte.

Gelenkte Kristallisation

Honigdegustationen zeigen, dass cremiger, feinkristalliner und streichfähiger Honig von Konsumentinnen und Konsumenten bevorzugt wird. Es gibt zwei Möglichkeiten, die Kristallisation vorteilhaft zu beeinflussen: Rühren und Impfen.

Rühren

Das Grundprinzip sieht so aus: Bereits kurz nach der Ernte kann der Imker in die Kristallisation eingreifen. Nach dem Abschäumen rührt er den Honig mit einem dreikantigen Buchenholzstab um. Dabei fährt er mit einer Stabkante der Gefässwand entlang und löst so die ersten Glucosekristalle. Diese verteilt er durch weiteres Rühren gleichmässig im Honig – ohne Einarbeiten von Luft. Dadurch nimmt die Geschwindigkeit und Feinheit der Kristallisation zu. Die Kristalle haben keine Zeit, zu groben Kristallansammlungen anzuwachsen. Vorteilhaft ist es, wenn der Honig bei optimaler Temperatur (14–18 °C) gelagert und täglich mindestens einmal für 10 bis 15 Minuten gerührt wird, bis er trübe und cremig wird. Kurz bevor der Honig steif ist, muss er abgefüllt werden. Anschliessend kristallisiert er fein aus und bleibt streichfähig.

Das Rühren von Hand ist anstrengend. Es gibt Rührgeräte, die diese Arbeit übernehmen können.

Impfen

Geimpfter Honig kristallisiert noch feiner und cremiger aus als bloss gerührter Honig. Dazu wird 5–10 % feinkristalliner Honig („Starter") zugegeben und umgerührt. Eine Raumtemperatur von 25–27 °C erleichtert das Einrühren des „Starters". Anschliessend wird der Honig in einem kühlen Raum bei 14–16 °C gelagert. Die tiefe Temperatur beschleunigt die Kristallisation. Der Imker muss einmal bis mehrmals täglich während einigen Minuten rühren – so lange, bis der trübe Honig gerade noch abfliesst und abgefüllt werden kann.

Der richtige Zeitpunkt zum Abfüllen des Honigs lässt sich folgendermassen austesten: Man lässt etwas Honig in einem Glas über Nacht stehen; am Morgen sollte der Honig homogen sein. Zieht man mit einem Löffel eine Rinne durch den cremigen Honig, schliesst sich die Rinne nur langsam. (9, 18, 69, 70, 119)

Honig – eine natürliche Süsse

Abb. 19
Rührgerät
Am einfachsten geht das Rühren mit einem motorgetriebenen Rührgerät. Der Rührstab sollte keine scharfen Kanten haben, damit er nicht Metall- oder Plastikspäne vom Behälter abkratzt.

Abb. 20
Cremiger Honig
Dieser cremig gerührte Honig kann jetzt abgefüllt werden.

1.5 Honig verflüssigen

Honig zu verflüssigen ist ohne Qualitätsverluste keine einfache Aufgabe. Dies liegt daran, dass Honig die Wärme schlecht leitet und daher viel Wärme braucht, um flüssig zu werden. Honig soll möglichst kurz und nicht über 40 °C erwärmt werden. Höhere Temperaturen schaden dem Honig nur dann nicht, wenn er diesen sehr kurz ausgesetzt ist und anschliessend schnell wieder abgekühlt wird. Daher eignet sich das Gerät „Melitherm" am besten zur Verflüssigung von Honig.

Abb. 21
Melitherm-Gerät
„Melitherm" ist ein Gerät mit Doppelfunktion: Reinigen und Verflüssigen. Am Boden des Behälters befindet sich eine regelbare Heizspirale. Unter der Heizspirale ist ein auswechselbares Bodenteil, über das ein feines, besonders engmaschiges Nylonseihtuch gespannt ist. Der noch nicht geklärte (gesiebte) Honig kann flüssig oder kristallisiert eingefüllt werden. Er wird durch die Heizspiralen erwärmt, verflüssigt und durch das Seihtuch gereinigt. Die Spirale ist 55–60 °C warm. 15 kg Honig können mit Hilfe des Melitherms innerhalb von vier Stunden verflüssigt werden.

Abb. 22
Honigblock lösen
Der Lagerkessel mit fest kristallisiertem Honig muss für kurze Zeit im Wasserbad bei max. 40 °C oder über einem Warmluftgerät (Bild) erwärmt werden, damit sich der Honigblock von der Kesselwand löst und ins Melitherm-Gerät gekippt werden kann. Es ist vorteilhaft, den Honigklotz mit dem Chromstahlspaten in kleinere Stücke zu zerteilen.

Bei anderen Methoden wie Wasserbad, Luftbad, Wärmeplatten oder Tauchheizgitter dauert die Verflüssigung länger. Das bewirkt einen hohen Energieaufwand und eine Wärmeschädigung des Honigs (Tab. 3 und 4). Um örtliche Überhitzungen am Gefässboden oder -rand zu vermeiden, muss der Honig beim Erwärmen ständig gerührt werden. Zudem ist schnelles Abkühlen erforderlich.

Wasserbad. Das Wasserbad ist die billigste Methode mit geringstem Energieaufwand. Es ist für kleine Gebinde (0,5–25 kg) empfehlenswert.

Luftbad. Das Luftbad (Kasten mit Wärmelampe oder Heizung) dagegen ist die energieaufwändigste Methode zur Verflüssigung von Honig, da Wärme schlecht von Luft auf Honig übertragen wird. Es braucht Stunden oder Tage, bis der Honig flüssig wird (Tab. 3).

Heizplatten. Mit Heizplatten wird in der Schweiz sehr häufig Honig verflüssigt. Aber auch hier wird der Honig über eine Luftschicht erwärmt, so dass Heizplatten ähnlich ungünstig sind wie das Luftbad.

Tauchheizgitter. Die Tauchheizgitter funktionieren wie Tauchsieder. Weil sie sehr heiss werden und der flüssige Honig nicht wie beim „Melitherm" ablaufen kann, kommt es zu Überhitzungen.

Mikrowelle. Die Verflüssigung mittels Mikrowelle ist unkontrollierbar. Deshalb wird diese Methode im Honigkontrollreglement des Verbandes der Schweizerischen Bienenzüchtervereine verboten.

Pasteurisation. In manchen Ländern wie in Frankreich und in den USA wird Honig pasteurisiert, das heisst, kurz auf 78 °C erhitzt. Bei der Pasteurisation werden die Kristalle völlig aufgelöst. Pasteurisierter Honig bleibt längere Zeit flüssig, kristallisiert dann aber in grobe und unregelmässige Kristalle. Die Pasteurisation zerstört vorhandene Hefen und verhindert so eine Gärung. Der Honig nimmt verhältnismässig wenig Schaden, wenn die Pasteurisation sachgerecht durchgeführt wird: Die Diastase wird kaum zerstört, dagegen ein grosser Teil der Invertase. Der HMF-Gehalt nimmt nur wenig zu. Das Honigaroma wird zudem vermindert. (56, 12).

Tab. 3

Honigverflüssigung im Thermoschrank
Ein schnell kristallisierender Honig mit Wassergehalt von 17,5 % wurde in verschieden grossen Gebinden verflüssigt.

Gebindekapazität	40 °C	45 °C	50 °C
20 kg	24 Stunden	18 Stunden	16 Stunden
50 kg	48 Stunden	36 Stunden	24 Stunden
80 kg	108 Stunden	72 Stunden	60 Stunden
300 kg	–	108 Stunden	72 Stunden

nach (88)

Konsequenzen für die Praxis:
Die Verflüssigungszeit von Honig hängt von der Temperatur und der Gefässgrösse ab. Honig in Gefässen, die mehr als 80 kg fassen, kann nicht ohne Qualitätsverminderung verflüssigt werden.

Honig – eine natürliche Süsse

Hohe Temperaturen zerstören die Inhibinwirkung des Honigs Tab. 4

	verbleibende Inhibinwirkung nach 15 Min. Erhitzung auf 70 °C	
	von Nicht-Peroxid-Inhibinen	von Wasserstoffperoxid
Blütenhonig	86 %	8 %
Waldhonig	94 %	78 %

nach (8)

Konsequenzen für die Praxis:
Honig zur Verflüssigung nur kurzzeitig und nicht über 40 °C erhitzen.

1.6 Physikalische Eigenschaften des Honigs

Kenntnisse der physikalischen Eigenschaften des Honigs sind sehr wichtig für alle Aspekte der Honigtechnologie: Ernte, Abfüllung, Bearbeitung, Lagerung, Kristallisation und Verflüssigung.

Man spricht von cremiger, dünn- oder zähflüssiger **Konsistenz**.

Die **Dichte** ist als das Verhältnis der Masse zur Raumeinheit definiert (g/ml). Wasser hat eine Dichte von 1 (1g/1ml). Der Honig ist schwerer, seine Dichte variiert je nach Wassergehalt von 1,35 bis 1,44.

Im Honiglagergefäss gibt es eine Schichtung des Honigs aufgrund der Dichte: In den oberen Schichten befindet sich leichterer Honig mit höherem Wassergehalt, während in den unteren Schichten der Wassergehalt niedriger ist (→ Abb. 15).

Die **Viskosität** ist ein Mass für die Zähigkeit. Flüssiger Honig (z. B. Akazien- und Tannenhonig) ist weniger viskös als auskristallisierter. Je mehr Wasser der Honig enthält und je höher die Honigtemperatur ist, desto kleiner ist seine Viskosität und desto besser fliesst er.

Die **Wärmeleitfähigkeit** ist ein Mass für die Wärmeübertragung. Die Wärmeleitfähigkeit des Honigs ist geringer als die von Metallen und liegt im Bereich der Wärmeleitfähigkeit des Wassers. Die Leitfähigkeit eines kristallisierten Honigs ist zehnmal geringer als jene des flüssigen Honigs, was sehr lange Aufwärmzeiten nötig macht. Bei der Erhitzung von Honig in einer heissen Ummantelung (z. B. Thermoschrank, Heizplatten) kann der Honig schnell überhitzt werden, da die Wärme hauptsächlich auf die äusserste Schicht der Honigmasse übertragen wird.

Die **elektrische Leitfähigkeit** spiegelt die Fähigkeit des Honigs wider, elektrischen Strom zu leiten. Der Honig enthält Mineralstoffe, die in einer wässrigen Lösung den Strom leiten können. Die Leitfähigkeit wird heute anstelle des Aschegehalts für die Bestimmung der botanischen Herkunft des Honigs benutzt, da sie sortentypisch ist (19).

Die Fähigkeit des Honigs, **Licht zu brechen**, wird für die refraktometrische Bestimmung des Honigs benutzt. Aufgrund des Brechungsindexes kann der Wassergehalt des Honigs bestimmt werden.

Durch Messung der **optischen Drehung** wird bestimmt, wie stark der Honig polarisiertes Licht drehen kann. Diese Drehung beruht auf den physikalischen Eigenschaften der Zucker im Honig. Die meisten Blütenhonige sind „links drehend", weil sie links drehende Einfachzucker (Glucose, Fructose) enthalten, während Honigtauhonige aufgrund ihres Gehaltes an rechts drehenden Mehrfachzuckern „rechts drehend" sind. Durch Messung der optischen Drehung kann Blütenhonig von Honigtauhonig unterschieden werden. (68, 147)

1.7 Was der Honig enthält

Honig besteht hauptsächlich aus Kohlenhydraten, etwas Wasser und vielen unterschiedlichsten Substanzen in kleinsten Mengen (vgl. Tab. 5).

Kohlenhydrate

An Kohlenhydraten sind im Honig in erster Linie die Einfachzucker Fructose (Fruchtzucker) und Glucose (Traubenzucker) enthalten, zudem kleinere Anteile von Mehrfachzuckern wie Saccharose („Haushaltszucker"), Melezitose und anderen. Es sind ungefähr 25 verschiedene Mehrfachzucker im Honig nachgewiesen worden. (39) Die Kohlenhydratzusammensetzung oder das Zuckerspektrum variiert je nach Honigsorte. Der Gehalt an Glucose und Fructose ist sortenspezifisch; Honige mit niedrigem Glucose- und höherem Fructosegehalt bleiben längere Zeit flüssig (→ Kristallisation, S. 16).

Säuren

Obwohl der Honig wenig Säuren enthält, sind diese entscheidend für seinen Geschmack. Honig mit mehr Säure (z. B. Honigtauhonige) erscheint weniger süss als solcher mit wenig Säure (z. B. Akazienhonig). Die meisten Säuren werden von den Bienen zugesetzt oder stammen von der Enzymtätigkeit. Hauptsäure ist die Gluconsäure. Daneben sind im Honig noch andere Säuren wie Ameisen-, Milch- und Oxalsäure nachgewiesen worden.

Eiweiss und Aminosäuren

Der Eiweissgehalt des Honigs ist gering und besteht hauptsächlich aus den Enzymen der Bienensekrete.

Aminosäuren sind die Bausteine der Eiweisse und kommen ebenfalls in kleinen Mengen im Honig vor. Sie stammen zum Teil von der Tracht, zum Teil werden sie aber auch von den Bienen zugesetzt, wie die Hauptaminosäure Prolin.

Hydroxymethylfurfural

Nach der Ernte des Honigs entsteht ein Zuckerabbaustoff – das Hydroxymethylfurfural (HMF). Frischer, nicht hitzebehandelter Honig aus Mitteleuropa enthält kein HMF oder nur Spuren davon, meistens unter 3 mg/kg. Während der Lagerung bildet sich HMF aus Zucker unter dem Einfluss der Säuren je nach pH-Wert und Temperatur des Honigs unterschiedlich schnell (→ Tab. 1, S. 15).

Aromastoffe

Etwa 150 verschiedene Aromastoffe wurden im Honig bestimmt. Sie sind nur in Spuren vorhanden, spielen aber für den Honiggeschmack eine entscheidende Rolle. Die Aromastoffe bleiben am besten erhalten, wenn der Honig verschlossen und kühl gelagert wird. Bei der Erhitzung des Honigs geht ein Teil der Aromastoffe verloren.

Mineralstoffe und Vitamine

Im Honig stecken nur geringe Mengen Mineralstoffe und Vitamine. Honigtauhonig ist mineralstoffreicher als Blütenhonig. Der Hauptmineralstoff ist Kalium.

Zusammensetzung des Honigs Tab. 5

Alle Angaben in g/100 g Honig

	Blütenhonig Durchschnitt	Min.–Max.	Waldhonig Durchschnitt	Min.–Max.
Wasser	17,2	15–20	16,3	15–20
Einfachzucker				
Fructose	38,2	30–45	31,8	28–40
Glucose	31,3	24–40	26,1	19–32
Zweifachzucker				
Saccharose	0,7	0,1–4,8	0,5	0,1–4,7
andere Zweifachzucker (Maltose, Turanose usw.)	5,0	2–8	4,0	1–6
Dreifachzucker				
Melezitose	< 0,1		4,0	0,3–22,0
Erlose	0,8	0,5–6	0,1–6	
andere Dreifachzucker	0,5	0,5–1	0,1–6	
unbestimmte Mehrfachzucker	3,1		10,1	
Total Zucker	79,7		80,5	
Mineralstoffe	0,2	0,1–0,5	0,9	0,6–2,0
Aminosäuren, Proteine	0,3	0,2–0,4	0,6	0,4–0,7
Säuren	0,5	0,2–0,8	1,1	0,8–1,5
pH-Wert	3,9	3,5–4,5	5,2	4,5–6,5

nach (148)

Tab. 6

Mineralstoffgehalt von Honig

	mg/100 g		mg/100 g
Kalium	20–150	Mangan	0,02–1
Natrium	1,6–17	Chrom	0,01–0,03
Calcium	4–30	Kobalt	0,001–0,05
Magnesium	0,7–13	Nickel	0,03–0,13
Eisen	0,03–4	Aluminium	0,3–6
Zink	0,05–2	Kupfer	0,02–0,6
Blei*	0,002–0,08	Cadmium*	0,000–0,01

* aus Kontaminationsquellen (nicht natürlich) nach (121)

Tab. 7

Vitamingehalt von Honig

	mg/100 g
Thiamin (Vitamin B1)	0,00–0,01
Riboflavin (Vitamin B2)	0,02–0,01
Pyridoxin (Vitamin B6)	0,01–0,32
Niacin	0,10–0,20
Panthothensäure	0,02–0,11
Ascorbinsäure (Vitamin C)	2,2–2,5
Phyllochinon (Vitamin K)	ca. 0,025

nach (62, 68a)

Natürliche Gifte im Honig

Der Nektar einiger Pflanzen wie Ericaceae (z. B. einige Rhododendron-Arten im Kaukasus und in der Türkei) und Wolfsmilchgewächse (Euphorbiaceae) enthält für den Menschen giftige Stoffe. Honigvergiftungen sind aus folgenden Ländern gemeldet worden: aus dem Kaukasus und der Türkei, aus Neuseeland, Japan, der ehemaligen Sowjetunion, Australien und einigen Staaten der USA. Es ist also ratsam, in diesen Ländern nur Honig aus dem offiziellen Handel zu beziehen. In Mitteleuropa wird kein Honig geerntet, der natürliche Gifte in Mengen enthält, die gesundheitsgefährdend sind. (121)

Mikroorganismen

Bienenhonig ist eine hoch konzentrierte Zuckerlösung. Deshalb können sich Mikroorganismen, die in den Honig gelangen, nicht weiter vermehren (osmotischer Druck). Man findet im Honig weniger Bakterien als in anderen rohen Tierprodukten, vor allem keine für den Menschen gefährlichen Arten. (129)

Für die Bienen von Bedeutung ist *Paenibacillus larvae,* das die gefürchtete Bienenseuche, die bösartige Faulbrut, verursacht (→ Band „Biologie", S. 92). Honigbehälter und Honigabfälle dürfen daher für Bienen nicht zugänglich sein. Für den Menschen ist dieses Bakterium jedoch ungefährlich.

Honig – eine natürliche Süsse

In Pressemeldungen verschiedener europäischer Länder wurde über Vergiftungsfälle von Säuglingen durch Honig berichtet, der *Clostridium botulinum* enthielt. In Honig können jedoch keine Toxine gebildet werden und deshalb ist der Verzehr von Honig mit *Botulinum* für Kinder über ein Jahr und Erwachsene völlig ungefährlich. Bei Kindern unter einem Jahr dagegen können im Magen theoretisch Botulinumsporen Toxine bilden, die Säuglingsbotulismus verursachen (141). Deshalb muss auf der Honigetikette einiger Länder (z. B. in den USA) vermerkt sein, dass Honig nicht an Säuglinge bis Ende des ersten Lebensjahres abzugeben sei. Da *Clostridium botulinum* auch in anderen Lebensmitteln anzutreffen und die toxische Wirkung von kleinen Mengen Botulinumsporen nicht sicher nachzuweisen ist, verzichten gegenwärtig die Behörden in der Schweiz, Deutschland und Österreich darauf, ähnliche Warnungen auf der Honigetikette vorzuschreiben.

Honig enthält verschiedene zuckertolerante Hefen, die für die Gärung verantwortlich sind. Sie vermehren sich bei höherem Wassergehalt im Honig und verursachen den sauren Gärgeschmack. Vergorener Honig darf weder in den Handel gebracht noch an Bienen gefüttert werden. Am besten eignet er sich als Süssungsmittel für Gebäck.

Verunreinigungen

Honig kann durch unerwünschte Stoffe der Imkerei, aus der Luft oder aus der Landwirtschaft verunreinigt sein (10).

Stoffe aus der Imkerei

In der Imkerei werden verschiedene Stoffe angewendet, die im Honig unerwünscht sind:

Varroabekämpfungsmittel. Die meisten davon sind fettlöslich und belasten vor allem das Wachs. Aber sie verunreinigen auch den Honig, wenn auch in einem viel kleineren Ausmass. Als alternative Varroabekämpfungsmittel werden heute ungiftige Stoffe wie Ameisen-, Milch-, Oxalsäure und Thymol verwendet. Sie kommen natürlicherweise in geringen Mengen im Honig vor. Werden diese Substanzen nach den Richtlinien des Zentrums für Bienenforschung Liebefeld angewendet, so entstehen im Honig nur wenig Rückstände, welche die Honigqualität nicht beeinflussen. Erst bei falscher Anwendung können grössere Mengen davon in den Honig gelangen und dessen Geschmack negativ verändern (16, 17)

Paradichlorbenzol („Imkerglobol") wird zur Bekämpfung der Wachsmotte verwendet. Diese Substanz ist fettlöslich und reichert sich im Wachs an. Da sie flüchtig ist, gelangt sie aus dem Wachs in den Honig und verunreinigt ihn. Es gibt für die Wachsmottenbekämpfung Alternativen zum Imkerglobol (→ Band „Imkerhandwerk", S. 100 f.).

Antibiotika. In letzter Zeit wurden im Honig vermehrt Rückstände folgender Antibiotika gefunden: Streptomycin, Tetracyclin und Sulfonamide. Die Rückstände sind zwar sehr klein und gesundheitlich unbedenklich, doch schaden sie dem Image des Honigs. In der Schweiz und in der EU ist die Anwendung von Antibiotika gegen die bösartige Faulbrut verboten, weil sich diese Brutkrankheit nicht mit Antibiotika bekämpfen lässt (→ Band „Biologie", S. 93). Für die Holzbehandlung werden am besten Anstrichmittel ohne Insektizide und Fungizide wie beispielsweise Propolistinktur verwendet.

Stoffe aus der Umwelt

Die Schwermetalle Blei und Cadmium sind giftig für Menschen, Tiere und Pflanzen. Untersuchungen von schweizerischem Honig 1985 haben gezeigt, dass der Honig aus der Nähe von und aus Grossstädten etwa doppelt so viel Blei (0,2–0,4 mg/kg) enthält wie der Durchschnittshonig (20). Dank der zunehmenden Anwendung von Katalysatorautos und der Verwendung von bleifreiem Benzin gelangt heute viel weniger Blei in die

Umwelt. Die in letzter Zeit (1990–1995) von der amtlichen Kontrolle untersuchten Honigproben enthielten weniger Blei: Minimum 0,02 und Maximum 0,08 mg/kg (121). Die Cadmiumbelastung von schweizerischem Honig ist so gering, dass sie keine Gefahr für die Gesundheit darstellt.

Eine Gesundheitsgefährdung durch radioaktive Stoffe besteht zurzeit nicht. Auch nach der Reaktorkatastrophe von Tschernobyl war in der Schweiz die Verunreinigung des Honigs mit radioaktiven Stoffen gering und toxikologisch unbedenklich.

1.8 Was der Honig bewirkt

Anwendungen

Honig wird als Beigabe verschiedenster Nahrungsmittel verwendet: als Klärungsmittel von Getränken, als Zusatz zu Glace, Butter, Milch, Joghurt und vielen weiteren Nahrungsmitteln. Er verhindert die Bräunung von Getränken und schützt dank seiner antioxidativen Wirkung vor Oxidation und Verderb (112). Verschiedene Sortenhonige haben unterschiedlich starke antioxidative Wirkung (51).

Honig in der Ernährung

Honig zählt zu den kohlenhydrathaltigen Lebensmitteln und wird als alternatives Süssungsmittel zu Haushaltzucker sehr geschätzt. Seine Kohlenhydrate gelangen rasch vom Darm ins Blut. Der Körper verarbeitet sie schnell. Honig ist daher ein schneller Energiespender und gut geeignet für Zwischenmahlzeiten bei körperlicher Anstrengung. Das Ersetzen von Haushaltzucker durch Honig schützt allerdings nicht vor Karies. Wie alle aromatischen und zuckerhaltigen Lebensmittel regt Honig den Speichelfluss und die Abgabe von Verdauungssäften an (62).

Der Gehalt an Eiweiss, Vitaminen und Mineralstoffen ist sehr gering und im Verhältnis zur gesamten aufgenommenen Nahrung unbedeutend.

Die ernährungsphysiologischen Wirkungen von Honig werden kontrovers diskutiert:

– Vitamine und Mineralstoffe des Honigs sollen die Verarbeitung der Kohlenhydrate aus dem Honig unterstützen. Belege dazu gibt es aber keine. Grundsätzlich ist es besser, ein Süssungsmittel zu verwenden, das neben Zuckern auch noch andere, lebenswichtige Substanzen enthält, als beispielsweise Haushaltzucker, der nur „leere" Kohlenhydrate enthält.

– Die Enzyme im Honig sollen die Verdauung unterstützen. Speichel und Darm liefern allerdings eine viel grössere und entscheidendere Menge an Enzymen für die Kohlenhydratverdauung (50, 62).

– Honig soll sich aufgrund seiner Zuckerarten günstig auf den Stoffwechsel auswirken. Die heutige Lebensweise des Menschen verursacht vermehrt Stress. Dadurch sinkt der Glucosegehalt im Blut ab und der Kohlenhydratstoffwechsel wird gestört. Eine regelmässige Einnahme von Honig (morgens und abends je 25–50 g) wirkt diesen Stresseffekten entgegen und normalisiert den Kohlenhydratstoffwechsel (27). Auch andere kohlenhydrathaltige Nahrungsmittel haben einen ähnlichen Effekt.

Karies durch Honiggenuss?

Alle Kohlenhydrate – so auch diejenigen im Honig – dienen den Mundbakterien als Nahrung. Obwohl der Honig antibakteriell wirkt, kann er Karies verursachen. Daher: Wer Honig und Zucker isst, tut gut daran, die Zähne zu putzen. Besser noch: Nicht zu oft Süsses essen.

Honig enthält verschiedene Flavonoide, die teilweise typisch für seine botanische Herkunft sind. Flavonoide gehören zu den gesundheitsfördernden, sekundären Pflanzeninhaltsstoffen. Diese Stoffgruppe stellt das jüngste Forschungsgebiet der Ernährungswissenschaft dar. Die gesundheitsfördernde Wirkung von Honig durch dessen Flavonoidgehalt wurde bisher noch nicht analysiert. Die Mengen von 3–20 mg/kg Honig sind eher klein, um eine grosse Bedeutung für die Ernährung zu haben (136).

Antibakterielle Wirkung
Honig enthält verschiedene keimhemmende Stoffe, die in der Fachliteratur „Inhibine" genannt werden. Dazu gehören das Wasserstoffperoxid und die „Nicht-Peroxid-Inhibine" (Säuren, alkalische und flüchtige Substanzen sowie die Flavonoide). Der grössere Teil der antibakteriellen Substanzen wird von den Bienen zugesetzt, wenige stammen vom Nektar oder vom Honigtau. Schliesslich verhindern der hohe Zuckergehalt und der niedrige pH-Wert ein Bakterienwachstum (14, 94, 95). Honiglösungen hemmen daher das Wachstum einer grossen Anzahl von Bakterien, unter ihnen viele krankheitserregende Keime (→ S. 90) (94).

Honigallergie
Es kann vorkommen, dass eine Person auf den Pollen im Honig allergisch reagiert. Honigallergien sind jedoch nicht häufiger als Allergien gegen andere Lebensmittel. Pollen können im Blut nachgewiesen werden. Daher ist es möglich, dass Honig zu allergischen Reaktionen führen kann (63).

1.9 Honigsorten und Honigdeklaration

Deklaration nach botanischer Herkunft
Man kann den Honig mit dem Namen der Tracht bezeichnen, vorausgesetzt, dass der Honig überwiegend von der genannten Tracht stammt (→ Übersicht „Vorschriften zur Deklaration", S. 35). Es sind beispielsweise folgende Bezeichnungen möglich: Alpenblütenhonig, Obstblütenhonig, Waldhonig, Wald- und Blütenhonig, Blatthonig, Sommerblütenhonig.
In der Schweiz, aber auch in Mitteleuropa, können aus folgenden Trachten Sortenhonige geerntet werden: Akazie, Alpenrose, Kastanie, Linde, Löwenzahn, Raps und Tanne.

Abb. 23
Sortenhonige
Von links nach rechts: Kastanie, Akazie, Raps, Löwenzahn, Alpenrose

Das Anbieten von Sortenhonig entspricht dem Bedürfnis der Konsumentinnen und Konsumenten, Honig einer bestimmten Geschmacksrichtung oder einer bestimmten Blütenart kaufen zu können. In der Schweiz werden Sortenhonige vorläufig selten deklariert. In anderen europäischen Ländern gibt es aufgrund der landwirtschaftlichen Anbaustruktur (grossflächige Felder einer Kultur) mehr Sortenhonige. Auf dem Markt der Europäischen Union spielen Sortenhonige eine wichtige Rolle und erzielen höhere Preise. In Frankreich und Italien machen Sortenhonige bis zu 50 % des angebotenen Honigs aus.

Bevor ein Sortenhonig vermarktet wird, muss sichergestellt sein, dass er den Qualitätsanforderungen entspricht. Die Sorte wird aufgrund verschiedener Kriterien bestimmt: Aussehen, Konsistenz, Farbe, Geruch, Geschmack (Tab. 8, S. 30) sowie pollenanalytische und chemische Eigenschaften. Einige schweizerische Sortenhonige aus den 80er Jahren wurden pollenanalytisch und physikochemisch charakterisiert (11, 15, 149, 150). Neuerdings wird mit Hilfe der Analyse von Aromastoffen versucht, die Sorte zu bestimmen (58, 136).

Während die Charakterisierung von Blütenhonigsorten relativ einfach ist, gestaltet sich die Beschreibung von Honigtauhonig schwieriger, weil die Honigtauhonige weder pollenanalytisch noch grob-chemisch voneinander zu unterscheiden sind. In der Schweiz werden meistens Gemische von Weisstannen- und Rottannenhonig sowie Blatthonige geerntet. Tannenfichtenhonig ist von Blatthonig sensorisch leicht unterscheidbar. Blatthonige werden oft in Grossstädten geerntet, meistens von Linde, Ahorn und Eiche.

Andere Bezeichnungen

Geografische Bezeichnungen
Zum Beispiel: Tessiner Honig, Berner Honig, Honig aus dem Zürich-Gebiet, Westschweizer Honig usw.

Bezeichnung der Ernteart
Zum Beispiel: Wabenhonig. Die EU-Honigverordnung definiert Waben- oder Scheibenhonig als Honig, den die Bienen in den gedeckelten, brutfreien Zellen frisch gebauter Waben aufspeichern und der in ganzen oder geteilten Waben gehandelt wird.
Der Wabenhonig ist eine hervorragende Spezialität. Er sollte aber nur aus Imkereien stammen, welche die Bio-Vorschriften in Bezug auf Wachsrückstände erfüllen.

Bezeichnung Bio-Honig
Zum Beispiel: „Honig aus Imkerei mit alternativer Varroabekämpfung" oder „Honig aus Bio-Imkerei". Die EU hat 1999 eine Verordnung für Bio-Imkerei erlassen. In dieser Verordnung werden die Kriterien, die ein Bio-Imkerbetrieb erfüllen muss, festgelegt (43). Bio-Richtlinien für die Schweiz sind zur Zeit (Sommer 2000) in Vernehmlassung.

Honig – eine natürliche Süsse

Tab. 8   **Die wichtigsten Sortenhonige der Schweiz**

	Alpenrose Blütenhonig	**Edel-Kastanie** Blatthonig	**Linde** Blütenhonig
Blüte			
Herkunft	Alpen	Tessin	ganze Schweiz
Erntezeit	Juli	Juni–Juli	Juni–Juli
Honigmenge	klein	gross	klein–mittel
Konsistenz	bleibt ca. 3–6 Monate flüssig bildet meistens feine Kristalle	bleibt mind. 6 Monate flüssig bildet grobe Kristalle	bleibt 3–6 Monate flüssig bildet meistens feine Kristalle
Farbe	wasserhell–hellgelb	hell- bis dunkelbraun	hell- bis dunkelgelb
Geruch	fruchtig	intensiv, phenolisch	nach Menthol
Geschmack	schwach fruchtig, sehr süss	kräftig, herb–bitter	herb–bitter, nach Menthol

Honig – eine natürliche Süsse

Löwenzahn	**Raps**	**Robinie (Akazie)**	**Tanne**
Blütenhonig	Blütenhonig	Blütenhonig	Honigtauhonig
			Lausaussonderung, → S. 10
Alpennordseite	Alpennordseite	Tessin	Alpennordseite
April–Mai	Mai–Juni	Mai–Juni	Juni–August
klein–mittel	gross	klein–mittel	gross
bleibt nur 3–5 Wochen flüssig bildet feine Kristalle	bleibt nur 2–4 Wochen flüssig bildet feine Kristalle	bleibt ca. 1–2 Jahre flüssig	bleibt mindestens 1 Jahr flüssig bildet grobe Kristalle
goldgelb	hellgelb–weisslich	wasserhell–hellgelb	dunkelgrün–dunkelbraun
tierisch, nach zerriebenen Löwenzahnblüten	pflanzlich, nach Kohl	schwach fruchtig	harzig, balsamisch
fruchtig	fruchtig, leicht nach Kohl, sehr süss	schwach fruchtig, sehr süss	harzig, malzig

1.10 Honigsensorik

Der Konsument beurteilt die Qualität eines Lebensmittels mit Auge, Nase und Mund. Deshalb hat die sensorische Prüfung von Honig eine grosse Bedeutung. Im Gegensatz zu den Konsumentinnen und Konsumenten, bei denen es um die Präferenz eines bestimmten Honigs geht, bemühen sich die Prüfer der Honigsensorik um eine objektive Feststellung der Honigqualität.

Die Farbe ist eines der wichtigsten Qualitätskriterien. Im Handel wird sie nach Pfund-Graden beurteilt (68b). Die Honigfarbe kann auch mit Hilfe eines Honigfarbatlasses überprüft werden. Ein Farbatlas ist im Schweizerischen Zentrum für Bienenforschung Liebefeld vorhanden.

Das Honigaroma wird entweder nur über die Nase oder (bei Degustationen) über den Rachen-Nasen-Kanal wahrgenommen. Die objektive Beurteilung des Geruchs ist schwierig, weil Begriffe zur genauen Beschreibung des Aromas fehlen. Deshalb wird ein Aroma mit Wörtern wie „fruchtig", „pflanzlich", „tierisch" umschrieben und mit Pflanzen- und Fruchtnamen oder einer Assoziation näher charakterisiert („Menthol" bei Lindenblütenhonig, „Kohl" beim Rapshonig).

Der Mensch unterscheidet die vier Grundgeschmacksrichtungen süss, sauer, salzig und bitter. Der Hauptgeschmack des Honigs ist aufgrund der Zucker Fructose und Glucose süss. Fructose ist 2,5-mal süsser als Glucose. Ob ein Honig als mehr oder weniger süss empfunden wird, hängt jedoch in erster Linie vom Aroma und Säuregrad ab. Bitterer, kräftiger Honig wie Linden- und Kastanienhonig wird als weniger süss empfunden als im Aroma neutraler Akazien- und Alpenrosenhonig. Auch der Kristallisationsgrad beeinflusst den Geschmack.

Die verschiedenen Säuren im Honig bestimmen die Geschmacksrichtung sauer.

Die Geschmacksrichtung bitter kommt beim Kastanien- und Lindenblütenhonig vor. Der bitterste Honig ist wohl der Arbustushonig, der in Italien und Südfrankreich geerntet wird.

Der taktile Eindruck beruht auf dem Tastempfinden von Lippen, Zunge, Gaumen und Zahnfleisch. Die Beschaffenheit der Honigkristalle spielt hier eine grosse Rolle: Grobe Kristalle werden als unangenehm, feine als angenehm empfunden.

Honigwettbewerbe und Honigdegustationen

Honigwettbewerbe haben in der Schweiz noch keine grosse Tradition, wohl aber in Deutschland, Italien und Frankreich. Sie dienen der Verkaufsförderung. Bewertet und punktiert werden:

Abb. 24
Honigdegustation
Bei Honigdegustationen lernen die Konsumentinnen und Konsumenten die Honigsensorik kennen und können herausfinden, welche Honigsorte sie gern und welche sie weniger gern haben. Eine öffentliche Honigdegustation ist deshalb immer auch Honigwerbung.

- Etikette und Verpackung
- Sauberkeit, Kristallisation, Geruch und Geschmack
- Wassergehalt, HMF, Leitfähigkeit, Pollenanalyse

Aufgrund der Punktezahl wird der Honig in vier Qualitätsklassen eingeteilt: sehr gut, gut, genügend und ungenügend.

1.11 Honigkontrolle und Honigqualität

Verbandskontrolle

Der „Verband Schweizerischer Bienenzüchtervereine" (VSBV) hat 1993 Kontrollvorschriften für schweizerischen Qualitätshonig in Kraft gesetzt. Sie sind im Reglement für die Honigkontrolle festgehalten (140). Diese Honigkontrolle beinhaltet zwei Stufen:
1. Betriebs- und Honigkontrolle in den Vereinen
2. Stichprobenkontrolle auf dem Honigmarkt

Die Betriebs- und Honigkontrolle in den Vereinen wird durch Honigprüferinnen und -prüfer der Vereine durchgeführt. Sie überprüfen den Imkereibetrieb, messen den Wassergehalt des Honigs und führen eine sensorische Kontrolle durch. Bei erfolgreich bestandener Kontrolle erhält der Imker eine Honigkontrollkarte und er ist ermächtigt, seinen Honig mit dem gesetzlich geschützten Gütesiegel oder dem Kontrollstreifen des Verbandes zu verkaufen (Abb. 25). Die Qualitätskriterien des Verbandes der Schweizerischen Bienenzüchtervereine sind zum Teil strenger als jene der Lebensmittelverordnung.

Die Stichprobenkontrolle dient der Überprüfung des Honigs auf dem Markt:
- Ist der Honig richtig deklariert (Gewicht, Kontrollnummer, Adresse des Produzenten, botanische Herkunft)?
- Ist der Honig sensorisch einwandfrei?
- Ist der Honig naturbelassen?

Abb. 25
Goldsiegel VSBV

Das Goldsiegel des Vereins der Schweizerischen Bienenzüchterverbände bürgt für die Qualität des kontrollierten schweizerischen Bienenhonigs. Solcher Qualitätshonig unterliegt strengeren Kriterien, als es die Lebensmittelverordnung verlangt.

Honig – eine natürliche Süsse

Qualität von kontrolliertem Qualitätshonig VSBV und Vergleich mit ausländischem Handelshonig Tab. 9

	Qualitätshonig VSBV			Handelshonig Ausland		
	Wasser	HMF	Invertase-Zahl	Wasser	HMF	Invertase-Zahl
	g/100 g	mg/kg		g/100 g	mg/kg	
Durchschnitt	15,2	1,8	14,7	16,7	11,1	11,1
Minimum-Maximum	13,4–18,6	0,6–20,5	3,2–37,2	13,0–19,6	0,5–110	0,5–36,8
Norm Qualitätshonig VSBV	**18,5**	**15**	**> 10**	**18,5**	**15 >**	**10**
Norm LMV	**21 %**	**40**	**> 4**	**21 %**	**40**	**> 4**
Qualitätsnorm VSBV erfüllt	99,5 %	99,5 %	93 %	93 %	88 %	78 %
Lebensmittelverordnung Norm erfüllt	100 %	100 %	100 %	100 %	97 %	97 %

Messungen von 190 VSBV-Qualitätshonigen in den Jahren 1995–1998 (Berichte zur Honigkontrolle VSBV) und von 193 Honigen aus der Kontrolltätigkeit der amtlichen Laboratorien (Berichte der Kantonalen Laboratorien).

Fazit:
Im Vergleich zum ausländischen Handelshonig ist schweizerischer Qualitätshonig frischer und reifer geerntet worden, besser lagerungsfähig und stabiler gegen Verderb durch Fermentation. Ausserdem wurde er schonender behandelt (keine unzulässige Erhitzung oder Lagerung in der Wärme).

Hinweise zur Honigprüfung in den Vereinen

Um eine gute sensorische Prüfung durchzuführen, ist viel Übung notwendig. Honigsensorikerinnen und -sensoriker sollten folgende Bedingungen erfüllen:
- Gute Unterscheidungsfähigkeit der Grundgeschmacksrichtungen
- Regelmässiges Üben mit den häufigsten Honigsorten
- Kenntnis der häufigsten Honigfehler

Bei der Beurteilung der Fehler ist es wichtig, sehr viele verschiedene Honige zu kennen. Wenn jemand einen Honig „seltsam" findet, weil „der Honig nicht in die Landschaft passt", so ist das oft auf die besondere botanische Herkunft des Honigs zurückzuführen. Honigprüferinnen und -prüfer müssen in der Lage sein, eine natürliche Geschmacksrichtung von einer künstlichen zu unterscheiden. Das bedeutet, dass sie die wichtigsten Honigfehler wie „Rauchgeschmack", „Gärgeschmack", „übersäuert" oder „Fremdgeschmack" richtig erkennen müssen.

Die sensorische Kontrolle in den regionalen schweizerischen Bienenvereinen wird oft in einer Jurysitzung durchgeführt. Die Jury besteht aus mindestens drei Honigsensorikern. Bei dieser Prüfung wird nur die Qualität des Honigs beurteilt, nicht jene der Honiggebinde, Gewährstreifen oder Etiketten. Als bestanden gilt die Kontrolle, wenn
- der Wassergehalt nicht grösser als 18,5 % ist,
- keine deutlichen Geruchs- und Geschmacksfehler und
- keine deutlichen Verunreinigungen erkannt werden können.

Amtliche Kontrolle

Die Schweizerische Lebensmittelverordnung und die Vorschriften im Schweizerischen Lebensmittelbuch, Kapitel Bienenprodukte, regeln die gesetzlichen Anforderungen. Die Fremd- und Inhaltsstoffverordnung enthält Angaben über erlaubte Höchstmengen an Verunreinigungen. Diese Gesetze schützen die Konsumentinnen und Konsumenten vor Täuschung und Gesundheitsgefährdung. Sie sind bei der Eidgenössischen Druck- und Materialzentrale in Bern erhältlich.

Die Sorgfaltspflicht

Jeder Lebensmittelproduzent hat dafür zu sorgen, dass sein Produkt einwandfrei ist und die Gesundheit des Menschen nicht schädigt (Art. 23 des Lebensmittelgesetzes). Diese Vorschrift fordert somit Hersteller auf, die Produktion ihres Produktes und das Produkt selbst auf diese Anforderungen hin zu kontrollieren. Der Staat kann überprüfen, ob die Hersteller ihrer Sorgfaltspflicht nachkommen. Für Imkerinnen und Imker heisst dies, dass sie in ihrem Betrieb keine umweltschädigenden Stoffe einsetzen, sauber arbeiten und einwandfreie Produkte verkaufen. Der Verband Schweizerischer Bienenzüchtervereine (VSBV) führt Honigkontrollen durch.

Vorschriften zur Deklaration
(Nach Lebensmittelverordnung Art. 22 und speziell für Honig Art. 204)

Auf der Etikette zum Verkauf von Honig müssen folgende Angaben stehen:
1. Sachbezeichnung „Honig"; es dürfen auch folgende Bezeichnungen benutzt werden:
   - Blütenhonig (wenn der Honig hauptsächlich aus den Nektarien von Blüten stammt)
   - Honigtauhonig (wenn der Honig hauptsächlich aus den Sekreten pflanzensaugender Insekten stammt)
   - Waben- oder Scheibenhonig (Abb. 11)
   - Honig mit Wabenteilen, Tropfhonig, Presshonig (diese Honige werden in der Schweiz nicht angeboten)
2. Erzeuger/Abfüller: Name, Ort
3. Produktionsland, sofern dieses nicht aus der Sachbezeichnung oder aus der Adresse des Erzeugers/Abfüllers hervorgeht
4. Nettomenge des Inhalts
5. Ein Hinweis über die besondere Behandlung, die der Honig erfahren hat (z.B. pasteurisiert), sofern die Unterlassung einer solchen Angabe zu einer Täuschung führen würde
6. Warenlos: Nach der Bezeichnung „L" wird eine Bezeichnung oder eine Nummer angefügt, mit der das Produktionslos des Honigs (= Honigernte) bezeichnet ist und daher wiederzuerkennen ist, z.B. L + Nr. der Honigkontrolle oder L + Datum der Honigernte (z.B. 5. Juli 1995: „L: 050795").

Die Sachbezeichnung kann ergänzt werden durch:
- die Angabe der Honigsorte (Herkunft aus bestimmten Blüten oder Pflanzen), wenn der Honig überwiegend aus diesen stammt und wenn er deren sensorische, physikalisch-chemische und mikroskopische Merkmale aufweist;
- eine geografische Bezeichnung (regionaler, territorialer oder topografischer Name), wenn der Honig aus der angegebenen Gegend stammt.

Ebenso erlaubt, aber nicht vorgeschrieben, sind die folgenden Angaben:
- Nährwert
- Erntejahr, Haltbarkeitsdatum
- Angabe „kontrolliert", aber nur, wenn klar ist, wer die Kontrolle durchführte, z.B. „kontrolliert durch VSBV"; „kontrolliert" ohne spezielle Angabe über den Kontrolleur ist verboten
- begründete Gesundheitsanpreisungen, z.B. „Honig ist ein Energiespender, der die körperliche Leistungsfähigkeit fördert."

Verboten sind irreführende Anpreisungen, z.B. „Honig enthält Mineralstoffe und Vitamine" (das stimmt zwar, die vorhandene

Menge ist aber für die Ernährung des Menschen unerheblich).

Honiganalyse
Die Kantonschemiker führen die gesetzliche Honigkontrolle stichprobenweise und aufgrund der Meldungen von Konsumentinnen und Konsumenten durch.

Gesundheitsschutz
Seitdem bekannt ist, dass sich die Akarizide in Bienenprodukten anreichern und dass Antibiotika für die Bekämpfung von bakteriellen Bienenseuchen angewendet werden, wird Honig in erster Linie auf Rückstände solcher Medikamente untersucht.

Allgemeine Qualität
Die Beurteilung der allgemeinen Qualität von Honig umfasst: eine sensorische Prüfung, eine Messung des Wasser- und HMF-Gehalts, eine Messung der Invertase- und Diastase-Aktivität. Auf diese Weise werden Honigfehler und Wärmeschädigungen festgestellt. Um die Qualitätskriterien zu erfüllen, müssen die wichtigsten Regeln der Honiggewinnung eingehalten werden:
– Ernte eines reifen Honigs mit tiefem Wassergehalt aus brutfreien Waben
– Behandlung des Honigs unter hygienisch einwandfreien Bedingungen
– Lagerung und Verflüssigung
– Erreichen einer guten Konsistenz durch gelenkte Kristallisation

Konsumententäuschung
Die Angaben auf der Etikette müssen wahr sein und dürfen Konsumentinnen und Konsumenten in ihren Erwartungen nicht täuschen. Dies betrifft die Herkunfts- und Sortenangabe sowie Angaben über mögliche Behandlungen des Honigs. Konsumentenzeitschriften wie „K-Tip", „j'achète mieux" (Schweiz), „Test" (Deutschland) u. a. nehmen auch Honig unter die Lupe und decken Honigfehler schonungslos auf. 1996 wurde ein Alpenblütenhonig, der chemisch und sensorisch einwandfrei war, als „Etikettenschwindel" disqualifiziert, weil der Honig fälschlicherweise als Alpenrosenhonig deklariert war (117).

Beim Täuschungsschutz spielt neben der Messung der elektrischen Leitfähigkeit und des Zuckerspektrums die Honigpollenanalyse (Melissopalynologie) eine wichtige Rolle. Mit ihr kann die botanische und die geografische Herkunft bestimmt werden.

Inhalt der Honiganalyse

Sie überprüft die allgemeine Qualität durch   *und informiert über:*
– sensorische Beurteilung   → Honigfehler
– Wassergehaltsmessung   → Haltbarkeit
– HMF, Invertase- und Diastase-Messung   → Wärmeschädigung

Sie schützt vor Täuschungen durch
– Pollenanalyse   → Herkunft
– Messung der elektrischen Leitfähigkeit und des Zuckerspektrums   → Herkunft

Sie schützt die Gesundheit vor
– Rückständen   → Akarizide, Pestizide, Schwermetalle, Antibiotika

Die Honigpollenanalyse

Zu Beginn des 20. Jahrhunderts wurde die Honigpollenanalyse eingeführt. Der Pollenanalytiker kann anhand der Pollen im Honig feststellen, welche botanische und geografische Herkunft der Honig hat. Einerseits kann der Imker dadurch erfahren, welche Trachtquellen seine Bienen genutzt haben, andererseits können Fälschungen und Falschdeklarationen aufgedeckt werden.

Für die Beurteilung der botanischen Herkunft müssen neben der mikroskopischen Analyse der Pollen und Honigtaubestandteile (Russtaupilze und Algen) auch chemische, physikalische und sensorische Eigenschaften beigezogen werden, weil der Prozentanteil der Pollen im Honig nicht dem Verhältnis des gesammelten Nektars entspricht. So ist zum Beispiel im Akazien-, Linden- und Salbeinektar wenig Pollen enthalten (er ist „unterrepräsentiert"), im Kastanien- und Vergissmeinnicht-Nektar aber hat es vergleichsmässig viel Pollen. Der Pollenanalytiker berücksichtigt diese Tatsachen bei der Interpretation der Pollenanalyse.

Bei Vergiftungen von Bienen liefert die Pollenanalyse wichtige Informationen über die mögliche Ursache (Trachtquelle).

Eine Gärung kann durch die mikroskopische Erfassung der Hefen nachgewiesen werden.

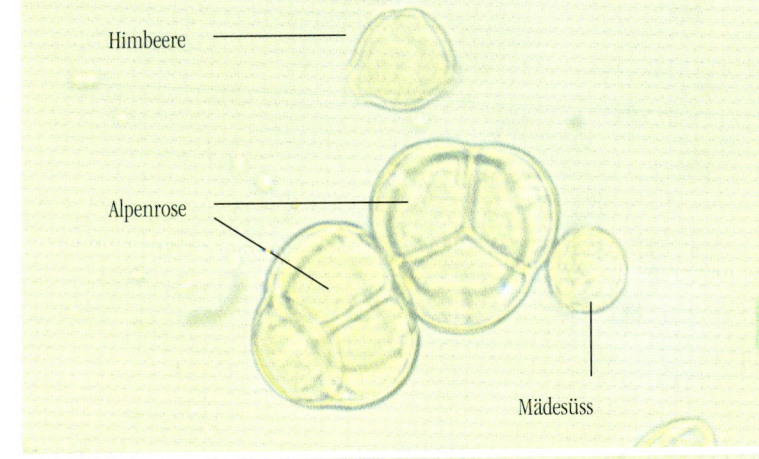

Abb. 26

Mikroskopisches Bild eines Alpenrosenhonigs

Pollen von Alpenrose, Himbeere und Mädesüss.

1 cm = 15 µm

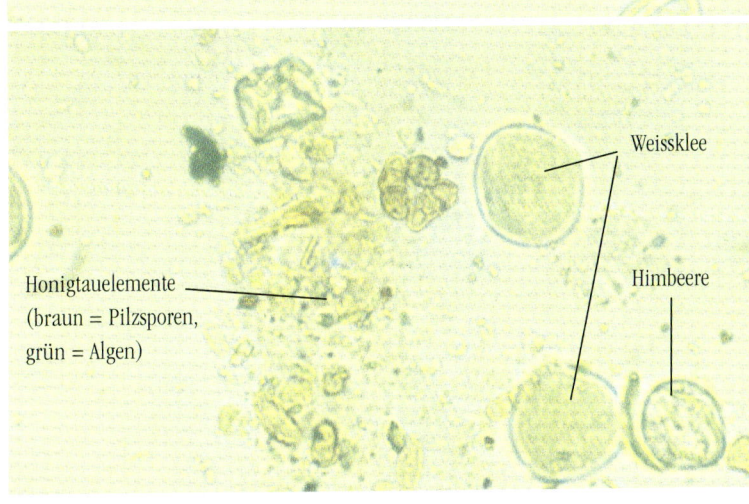

Abb. 27

Mikroskopisches Bild eines Waldhonigs

Pollen von Weissklee und Himbeere, zusammen mit Honigtauelementen: Pilzsporen (braun), Algen (grün).

1 cm = 17 µm

Honig – eine natürliche Süsse

Honigverfälschungen

Honig ist ein teures Naturprodukt. Deshalb kommt es immer wieder vor, dass er mit billigen, zuckerhaltigen Produkten gestreckt wird. Die amtliche Lebensmittelkontrolle verfügt über Mittel, die verschiedenen Arten von Honigverfälschung nachzuweisen. So entdeckte die Lebensmittelkontrolle 1999 beispielsweise, dass ein grosser Teil des chinesischen Honigs mit Zucker verfälscht wurde (52).

Nicht nur mit Zucker und Wasser, auch mit Salzen und Farben wird Honig gelegentlich verfälscht, um mineralstoffreichen, dunklen Waldhonig vorzutäuschen.

Es ist für Imkerinnen und Imker eine Ehrensache, einen unverfälschten Honig zu ernten und zu verkaufen.

1.12 Produktion, Konsum und Handel von Honig

Honigproduktion, Konsum und Handel in der Schweiz 1988–1999 Tab. 10

	1988	1989	1990	1991	1992	1993	1994	1995	1996	1997	1998	**Durchschnitt**
Gesamthonigproduktion Schweiz in t	1987	4736	2288	3968	3179	3503	1791	7496	1175	2183	3900	**3291**
Honigernte Schweiz kg/Volk	6,2	15,8	8,3	15,2	11,7	12,9	6,6	27,9	4,4	6,7	14,7	**11,9**
Honigimport in t	6280	6122	5884	6516	5461	5646	5385	5986	5769	6399	6280	**5975**
Honigexport in t	41	35	46	81	133	112	151	146	205	222	41	**110**
Gesamtverbrauch Schweiz in t	8226	10823	8126	10403	8507	9037	7025	13336	6739	8360	10000	**9058**
Honigkonsum pro Kopf/Jahr in kg	1,2	1,6	1,2	1,5	1,2	1,2	1,0	1,9	0,9	1,2	1,4	**1,3**
Inlandversorgungsgrad	24%	44%	28%	38,7%	36%	38%	25%	56%	17%	26%	38%	**34%**

nach (48)

Fazit: Honigproduktion, Konsum und Handel in der Schweiz

- Die Honigernte pro Volk variiert von Jahr zu Jahr stark. 1995 zum Beispiel betrug sie 27,9 kg, im darauf folgenden Jahr nur noch 4,4 kg. Die gute Ernte von 1995 ist auf eine grosse Tannentracht zurückzuführen.
- Gute und schlechte Jahre wechseln sich meistens ab.
- Die Schweiz produziert etwa ⅓ des eigenen Bedarfs und muss die restlichen ⅔ importieren. Der Hauptanteil des Imports stammt aus Mittel- und Südamerika.
- Der Export ist minimal und macht im Durchschnitt 3,3 % der Produktion aus.
- Der Honigkonsum pro Kopf und Jahr variiert relativ stark und liegt zwischen 0,7 und 1,9 kg. Der Grund für diese Schwankungen liegt darin, dass die privaten und die industriellen Lagerbestände statistisch nicht erfasst werden.
- Die Ernten variieren auch stark zwischen verschiedenen Regionen. Regelmässig grosse Ernten werden in Stadt- oder stadtnahen Gebieten erzielt.

Praktische Tipps für einen erfolgreichen Honigverkauf

⅔ des mitteleuropäischen Honigs werden direkt vom Produzenten an die Konsumentinnen und Konsumenten verkauft. Hier spielt die persönliche Beziehung vom Imker zur Kundschaft eine besondere Rolle.

Wer einen Kundenstamm aufbauen will, sollte Verwandte, Freunde, Nachbarn und Arbeitspartner ansprechen und Honig zum Degustieren anbieten. Gute Verkaufsorte sind der Wochenmarkt, Bio- und Quartierläden und der Arbeitsort.

Wer seinen Honig in einem guten Honigjahr nicht verkauft, kann dies noch im nächsten tun. Der Qualitätshonig mit dem Gewährstreifen muss jedoch wegen der Qualitätsgarantie innerhalb zweier Jahre verkauft werden

Die beliebtesten Gebindegrössen sind 250-g- und 500-g-Gläser. Honig im Glas ermöglicht es dem Käufer, Farbe und Konsistenz zu sehen. Dies erleichtert die Kaufentscheidung.

Eine übersichtliche und freundlich wirkende Etikette ist verkaufsfördernd. Das Qualitätssiegel sollte so angebracht sein, dass es „ins Auge sticht" und nicht im Bild der Etikette „untergeht". Es ist vorteilhaft, wenn die Etikette persönlich gestaltet ist und sich dadurch deutlich von anderen unterscheidet.

Abb. 28
Honigetiketten

1 Honig – eine natürliche Süsse

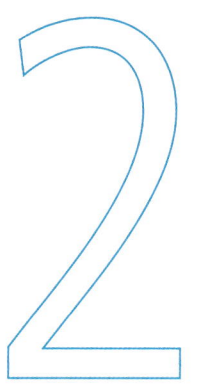

2 Pollen – eine bunte Vielfalt

Katharina Bieri
Stefan Bogdanov

Ein Bienenvolk benötigt pro Jahr je nach Volksstärke, Bruttätigkeit und Pollenqualität 6–37 kg Pollenhöschen (72). Um 24 kg Pollen zu sammeln, sind ungefähr 3,2 Mio. Höschen und ungefähr 133 Mio. Blütenbesuche nötig. Ein Pollenhöschen mittlerer Grösse enthält zwischen 100 000 und mehreren Millionen Pollenkörner.

Abb. 29
Pollensammlerin befliegt männliche Maisblüte
Pollen sind die männlichen Keimzellen von Pflanzen. Beim Pollen- und Nektarsammeln bestäuben die Bienen die Blüten. Dank dieser Tätigkeit steigen der Ertrag und die Qualität vieler landwirtschaftlicher Nutzpflanzen.
Pollen ist – nebst Nektar und Honigtau – Hauptnahrung für das Bienenvolk. Dem Menschen liefern Pollenhöschen viele wertvolle Substanzen.

Abb. 30
Buntes Pollengemisch
Pollenhöschen sind verschiedenfarbig. Aufgrund der Pollenfarbe kann die Herkunft bestimmt werden (→ Tab. 11, S. 43).

2.1 Bienen sammeln Pollen

Pollenhöschen

Beim Blütenbesuch kommt die Biene in Berührung mit den Staubbeuteln der Blüte und ihr ganzer Körper wird mit Blütenstaub eingepudert. Mit Hilfe der an den Hinterbeinen ausgebildeten Pollenkämme bürstet die Biene den Blütenstaub aus ihrem Haarkleid und befördert ihn in die Pollenkörbchen (→ Band „Biologie", S. 17. Die Biene befeuchtet die Pollenkörner mit Nektar, Honigtau oder Honig. So kleben sie besser zusammen, können zu Pollenhöschen geformt und gut transportiert werden. Beim Befeuchten des Pollens wird dieser mit körpereigenen Enzymen angereichert.

Pollen ist die Eiweissnahrung des Bienenvolkes (Honig liefert die Kohlenhydrate). Die Entwicklung der Futtersaft- und Wachsdrüsen in Jungbienen und der Aufbau des Fettkörpers für die Überwinterung hängen entscheidend von einer guten Pollenversorgung ab.

Bienenbrot

Kommt die Biene mit den Pollenhöschen im Stock an, sucht sie eine leere oder nur zum Teil mit Pollen gefüllte Wabenzelle in der Nähe des Brutnestes und streift ihre Pollenhöschen in die Zelle ab. Die Stockbienen übernehmen nun die weitere Arbeit. Sie vermischen den Pollen mit Drüsensekreten und Honig, kneten alles gut durch und stampfen dieses Gemisch schichtweise in den Wabenzellen fest. Dabei verliert der Pollen seine Keimfähigkeit. Die mit Pollen angefüllte Zelle wird oft mit einem Honigüberzug abgeschlossen.

In der Wabenzelle durchläuft der Pollen einen Gärungsprozess und wird nun „Bienenbrot" genannt. Der Gärprozess ist noch nicht in allen Einzelheiten geklärt. Es findet eine Reihe biochemischer Prozesse statt, die für die Haltbarkeit des Bienenbrotes verantwortlich sind, die Verdaulichkeit des Pollens verbessern und somit dessen Nährwert für die Bienen steigern (131a). Saccharose und andere Mehrfachzucker aus Pollenkorn und Nektar oder Honig werden zu Einfachzuckern abgebaut. Es wurden auch Enzyme zum Abbau von Milchsäure im Bienenbrot nachgewiesen. Ausserdem scheint eingelagerter Pollen viel Vitamin K und Histamin zu enthalten. Histamin wird von Bakterien, die an Pollen haften, aus Histidin gebildet.

Abb. 31

Bienenbrot

In Wabenzellen eingestampfte Pollenhöschen vergären und werden dadurch haltbar. Der in Zellen eingelagerte Pollen wird Bienenbrot genannt. Bienenbrot dient der Brutaufzucht und als allgemeine Nahrungsquelle.

2.2 Was ist Pollen?

Pollen (Blütenstaub) wird in den Staubgefässen der Blüten gebildet. Sie sind deren männliche Keimzellen. Von blossem Auge betrachtet ist Pollen meistens ein mehlartiges, feines Pulver. Manche Pflanzen haben einen klebrigen Blütenstaub. Seine Farbe ist oft leuchtend gelb, umfasst aber die ganze Farbskala. Die Farbstoffe befinden sich zum Teil in einer öligen Schicht, die jedes Pollenkorn umschliesst. Die Mundwerkzeuge der Biene sind daher häufig mit farbigem Pollenöl verschmiert. Dieses gelangt beim steten Bearbeiten des Wabenbaus ins Bienenwachs und verfärbt es allmählich goldgelb (66a).

Tab. 11 **Farbenvielfalt der Pollenhöschen verschiedener Pflanzen**

hellgelb		Haselnuss
dottergelb		Linde
grünlich gelb		Erle
dunkelgelb		Löwenzahn, Sonnenblume
rot		Taubnessel
braungelb bis rotbraun		Rosskastanie
grünlich		Ahorn
blau		Phazelie (Büschelblume)
braun		Esparsette u. a. Schmetterlingsblütler
schwarz oder grau		Mohn

(80)

2 Pollen – eine bunte Vielfalt

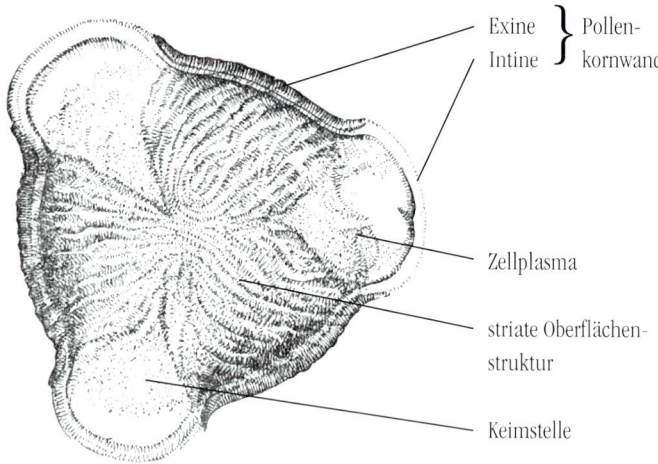

Abb. 32

Schematische Zeichnung eines Pollenkorns

Das Innere des Pollenkorns besteht hauptsächlich aus flüssigem Zellplasma mit vielen Inhaltsstoffen und zwei Zellkernen. Zum Schutz vor Austrocknung und Strahlung ist das Pollenkorn von einer starken, für Mensch und Tier unverdaulichen Hülle umgeben (134). Diese Pollenkornwand ist zweischichtig aufgebaut. Die innere Wand, die Intine, ist zart, die äussere (Exine) dagegen vielgestaltig und widerstandsfähig. Diese individuelle Oberflächenstruktur der Exine ermöglicht die Identifizierung von Pollen. Da Pollen auch im Honig vorkommt, kann die Herkunft des Honigs bestimmt werden (→ S. 37).

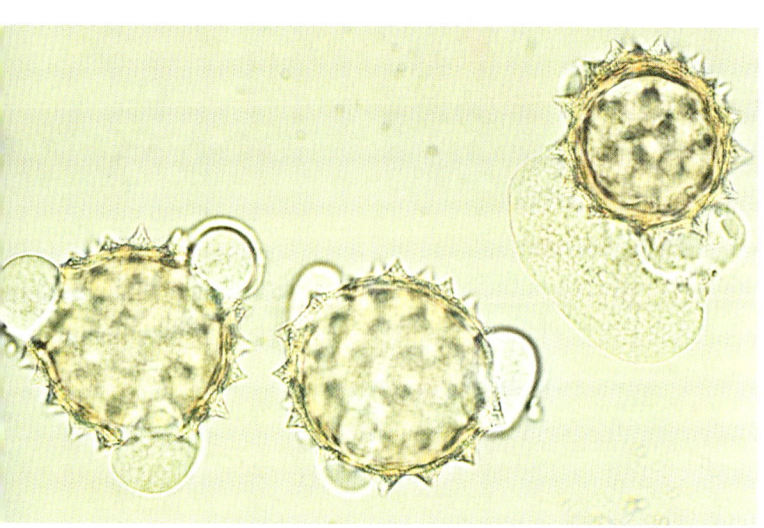

Abb. 33

Mikroskopische Aufnahme des Pollenkorns einer Kratzdistel (200 x vergrössert)

Jede Pflanzenart hat ihre charakteristischen Pollenkörner, die sich in Grösse, Form, Anzahl der Keimstellen (Keimöffnungen) und Oberflächenstruktur unterscheiden. Sie sind zwischen 5–200 μm gross (1 μm = 1/1000 mm) und können daher nur unter dem Mikroskop betrachtet werden (250–1000fache Vergrösserung).

2.3 Pollen(höschen) ernten

Der Imker oder die Imkerin ernten ausschliesslich Pollenhöschen. Das ist kein reiner Pollen (Blütenstaub), weil die Bienen bereits Nektar oder Honig sowie Drüsensekrete beigemischt haben. Deshalb wird im Schweizerischen Lebensmittelbuch „Pollen" als „bienengesammelter Pollen" definiert. Die Ernte von „Bienenbrot" hat noch kaum Bedeutung.

Da in der Schweiz die klimatischen Bedingungen und das Trachtangebot nicht optimal sind, können pro Jahr und Volk nur ungefähr 2–4 kg Pollen geerntet werden. Es gibt jedoch Magazinimker, die über 7 kg Pollen pro Volk und Jahr ernten.
Der Pollen wird mit Hilfe einer Pollenfalle gesammelt. Die heimkehrende Pollensammlerin muss durch ein Gitter schlüpfen, damit

Pollen – eine bunte Vielfalt

Abb. 34
Pollenfallen
Es gibt verschiedene Modelle von Pollenfallen. Die Schweizer Pollenimkervereinigung schreibt vor, die Falle unter dem Brutnest anzubringen.

Links: Pollenfalle im Einsatz, unter einen Schweizerkasten eingeschoben. Die Schublade mit dem Pollengut ist halb herausgezogen.

Rechts: Pollenfalle für den Schweizerkasten. Das Doppelgitter besteht aus einem Plastikgitter oben (Lochabstand 24 mm x 4,2 mm) und einem verzinkten Punktgitter unten (Lochweite 4,2 mm). Das kreisrunde Loch an der Stirnseite oben dient dem freien Drohnenflug.

sie in den Stock gelangen kann. Dabei streift sie am Gitter zwischen 5 und 30 % der Pollenhöschen ab. Die Pollenhöschen fallen in Auffanggefässe (5, 72). Trotz des Pollenverlustes ist die Versorgung des Volkes gewährleistet, weil vermehrt Pollen eingetragen wird, wenn die Falle in Betrieb ist. Das Sammeln von Pollen erfordert grösste Reinlichkeit. Grundvoraussetzung sind saubere Bienenkästen und Unterböden. Die Waben dürfen nicht mit Schimmelpilzen und Wachsmotten befallen sein. Die Pollenfallen müssen täglich abends geleert und die Ernte muss sofort getrocknet oder tiefgekühlt werden, damit der Pollen nicht verdirbt (→ S. 46). Frisch eingetragener Pollen enthält nämlich 20–30 g Wasser pro 100 g. Diese hohe Feuchtigkeit ist ein idealer Nährboden für Mikroorganismen wie Bakterien und Pilze.

2.4 Bienenbroternte

Die Bienenbroternte ist mühsam, aber lohnenswert. Dabei wird der fermentierte Pollen in den Zellen mit Hilfe eines Löffels (Pollenheber) aus den Zellen herausgehoben. Diese Art der Pollengewinnung ist sehr arbeits- und zeitaufwändig.
Einfacher ist die Gewinnung von Bienenbrot aus unbebrüteten Waben, die als so genannte Pollenbretter bei Pollenüberschuss aus den Völkern entnommen werden können. In Zeiten starker Pollentracht werden frisch ausgebaute Waben unter einem Absperrgitter zwischen Bodenbrett und Brutraum eingeschoben. Die Pollenhöschen werden bevorzugt hier abgelagert. Sind die Waben gut mit Pollen gefüllt, kann der Imker das Bienenbrot entnehmen. Dabei werden, nach dem Kürzen der überstehenden Zellwände, die mit Pollen gefüllten Zellen mit einem Spachtel bis auf die Mittelwand abgetragen, mit Honig vermischt und mit einem Mixer gut verrührt. Nach dem Abschäumen wird das Bienenbrot-Honig-Gemisch in Gläser abgefüllt (96). Da dieses Bienenprodukt Wachs enthält, dürfen keine Bienenheil- oder Wabenschutzmittel eingesetzt werden, die im Wachs Rückstände hinterlassen könnten.

2.5 Pollen verarbeiten und lagern

Nach der täglichen Ernte kann der Pollen entweder sofort getrocknet oder tiefgekühlt und nach dem Auftauen getrocknet werden. Nach dem Trocknen wird das Sammelgut gereinigt.

Pollen tiefkühlen

Im Tiefkühler bleibt die Pollenqualität erhalten. Das Tiefkühlen bei −18° bis −20 °C während mindestens ein bis zwei Tagen hat den Vorteil, dass die Eier von Vorratsschädlingen wie beispielsweise Milben vernichtet werden (96). Nach dem Auftauen ist der Pollen allerdings nur wenige Stunden haltbar und muss entweder sofort getrocknet oder konsumiert werden.

Die Gefriertrocknung wird bei einigen ausländischen Grossproduzenten angewandt.

Pollen trocknen

Zum Trocknen dient ein Wärmeschrank oder ein Warmluftgebläse. Am besten eignen sich Trocknungsschränke, aus denen die Feuchtigkeit kontinuierlich entweichen kann. Damit die Qualität erhalten bleibt, sollte Pollen bei 30–40 °C und so kurz wie möglich getrocknet werden, bis er nur noch 6 % Wasser enthält. Pollen mit 8 % und mehr Wasser wird nach einem Jahr sauer (122). Bei Temperaturen über 40 °C gehen Aromastoffe verloren (33).

Erstaunlicherweise nimmt der Gehalt an Bakterien in getrocknetem Pollen mit zunehmender Lagerungszeit ab. Der Grund dafür ist die antimikrobielle Wirkung des Pollens (122).

Abb. 35

Trocknungsschrank

Die Schweizerische Pollenimkervereinigung organisiert für ihre Mitglieder die fachmännische Trocknung, Reinigung und Abfüllung des Pollensammelgutes.

Pollen – eine bunte Vielfalt

Pollen reinigen

Das Pollensammelgut enthält meistens kleinere Fremdpartikel. Deshalb muss es nach dem Trocknen gereinigt werden. Das Fremdmaterial, das leichter als die Pollenhöschen ist, wird mit Hilfe eines speziellen Gebläses oder einer Getreideputzmaschine weggesogen. Dabei muss auf einen staub- und bakterienfreien Luftstrom geachtet werden.

Pollen richtig lagern

Die getrockneten Pollenhöschen werden kühl, trocken, dunkel und gut verschlossen in Gläsern oder Kunststoffbehältern gelagert.

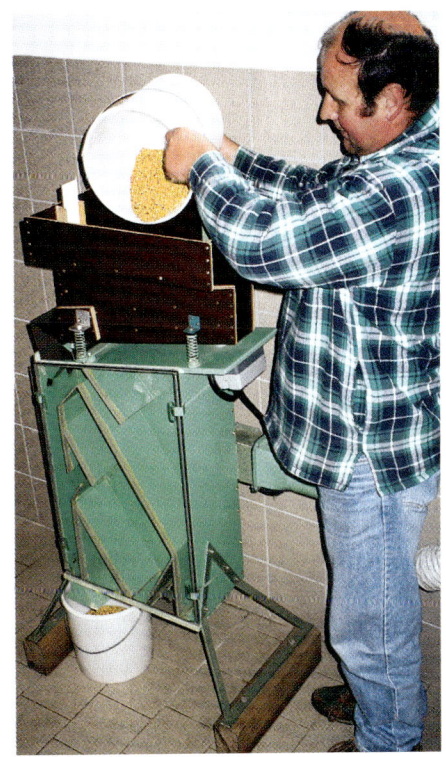

Abb. 36

Pollen-Reinigungsapparat

Das trockene Pollensammelgut wird oben in den Trichter eingeschüttet. Die normal grossen Pollenhöschen fallen im Kanal links senkrecht nach unten. Ein feiner Luftsog bewirkt, dass Pollenstaub, kleine Wachspartikel, Bienenbeine oder -flügel in die Kammern rechts angesogen und getrennt aufgefangen werden.

2.6 Was Pollen enthält und wie er wirkt

Pollenhöschen enthalten Kohlenhydrate, Eiweiss, Fett, Mineralstoffe und Nahrungsfasern, zusätzlich zahlreiche Vitamine, Flavonoide und geringe Mengen Phytoöstrogene, Phytosterine sowie Aromastoffe. Die Zusammensetzung, der Nährwert und die Wirksamkeit variieren je nach pflanzlicher Herkunft.

Kohlenhydrate bilden bei den meisten Pollenarten den Hauptbestandteil. Ein grosser Teil davon sind Stärke, Fructose, Glucose, Saccharose und andere Zucker. Sie dienen als Energiespender. Zu den Kohlenhydraten zählen zudem die in der inneren Pollenkornwand enthaltenen Substanzen Pektin und Cellulose (133). Pektin und Cellulose gehören zu den Nahrungsfasern. Das menschliche Verdauungssystem kann diese zwar nicht spalten. Trotzdem sind sie für die Darmgesundheit unentbehrlich. Sie erleichtern den Stuhlgang und fördern das Wachstum nützlicher Darmbakterien (145).

Je mehr **Eiweiss** der Pollen enthält, desto wertvoller ist er für die Biene. Für den Menschen hingegen sind die **Aminosäuren** im Pollen wichtig. Aminosäuren sind die Bausteine von Eiweiss. Der menschliche Körper kann Aminosäuren nicht selbst herstellen und braucht sie zum Aufbau von körpereigenen Eiweissen. Pollen enthält in erster Linie die Aminosäure Prolin.

Die **Enzyme** im Pollenhöschen sind Eiweisse. Sie stammen überwiegend aus dem Pollenkorn, aber auch aus den Sekreten der Bienen (131). Die Bienen steuern Amylase (Diastase) und Saccharase (Invertase) bei. Für die Bienen verbessern sie die Verwertung der Kohlenhydrate. Der menschliche Körper kann diese Enzyme nicht nutzen.

Die **Pollenfette** bestehen hauptsächlich aus polaren und neutralen Fetten (Mono-, Di- und Triglyceride) sowie auch aus kleineren Anteilen an fettlöslichen Substanzen wie Stigmasterin, östrogenähnlichen Stoffen, Phospholipiden usw. und kleinen Mengen an Fettsäuren.

Die **Mineralstoffe** im Pollen (hauptsächlich Kalium, Phosphor, Schwefel, Calcium und Magnesium) unterstützen die Stoffwechselprozesse des Körpers (Aufbau von Blutkörperchen, Skelett und Zähnen) sowie die Funktion des Nervensystems.

Die **Pollenvitamine** unterstützen einen reibungslosen Ablauf des Stoffwechsels und des Immunsystems.

Die **Flavonoide** verleihen dem Pollen die gelbe, rote oder purpurrote Farbe. Viele Flavonoide haben einen bitteren Geschmack, was wahrscheinlich den typischen Pollengeschmack verursacht. Ein Hauptflavonoid des Pollens ist das Rutin.

Flavonoide gehören zu den so genannten sekundären Pflanzeninhaltsstoffen mit biologischer Wirkung. Sie hemmen das Bakterienwachstum und die Krebsentstehung. Sie setzen die Blutgerinnung herab und wirken somit der Arteriosklerose entgegen. Zudem bremsen sie Oxidationsprozesse und schützen das Vitamin C vor Zerstörung. Besonders Rutin wirkt antioxidativ (145a).

Pollen enthält auch **Phytoöstrogene** und **Phytosterine**. Phytoöstrogene sind in anderen Lebensmitteln wie zum Beispiel Leinsamen, Getreide, Gemüse, Sojabohnen enthalten und wirken ähnlich wie Östrogene (Hormone). Sie werden vor allem in der Prostata angereichert. Phytoöstrogene scheinen krebshemmend und antioxidativ zu sein. Um eine gute Wirkung zu erzielen, müssen Lebensmittel mit Phytoöstrogenen – also auch Pollen – regelmässig gegessen werden (145b).

Phytosterine sind pflanzliche Sterine von ähnlicher Struktur wie das tierische Cholesterin. Mit der Nahrung aufgenommene Phytosterine bleiben zum grössten Teil im Darm und beeinflussen den Cholesterinstoffwechsel, wodurch erhöhte Cholesterinwerte im Blut sinken. Ausserdem hemmen sie auf noch nicht vollständig geklärte Weise die Entstehung von Dickdarmkrebs (→ S. 94) (145c, 145d).

Verunreinigungen

Verunreinigungen im Pollen sind meistens Schadstoffe aus der Luft, die während der Blütezeit auf den Pollen gelangen. Verunreinigt wird Pollen durch

– Schwermetalle aus Abgasen von Verkehr und Verbrennungsanlagen (10),
– Pestizide aus der Landwirtschaft, besonders dann, wenn sie während der Blütezeit gespritzt werden (28, 79),
– chlorierte Kohlenwasserstoffe (134).

Der gemessene Kontaminationsgrad des Pollens mit Umweltschadstoffen ist für den Menschen jedoch nicht gefährlich (47).

Gentechnisch veränderte Pflanzen stellen die Pollenimkerinnen und -imker vor eine neue Situation. Pollen und Lebensmittel, die Pollen enthalten, müssen mit der Aufschrift „mit gentechnisch verändertem Pollen" bezeichnet werden, wenn sie mehr als 1 % gentechnisch veränderte Bestandteile enthalten (24).

Tab. 12 **Inhaltsstoffe von Pollen(höschen)[1]**

	Komponente Minimum–Maximum	Gehalt Referenzwerte für die tägliche Nährstoffzufuhr für Erwachsene (36)
Hauptkomponenten	g/100g	g/Tag
Kohlenhydrate, total	57–81	ca. 340–380[2]
davon: Fructose, Glucose, Saccharose	30–50	60
Nahrungsfasern	0,3–20	30
Eiweiss	10–40	46–59
Fett	1–10	ca. 80
Mineralstoffe	mg/100g	mg/Tag
Kalium	400–2000	2000
Phosphor	80–600	700
Schwefel	?	keine Empfehlung
Calcium	20–300	1000
Magnesium	20–300	300–350
Zink	3–25	7–10
Mangan	2–11	2–5
Eisen	1,1–17	10–15
Kupfer	0,2–1,6	1,0–1,5
Vitamine	mg/100g	mg/Tag
Ascorbinsäure (C)	7–30	100
ß-Carotin	5–20	2–4
Tocopherol (E)	4–32	12–15 (TÄ)[3]
Niacin	4–11	13–17 NÄ[4]
Pyridoxin (B6)	2–7	1,2–1,5
Thiamin (B1)	0,6–1,3	1,1–1,3
Riboflavin (B2)	0,6–2	1,2–1,5
Pantothensäure	0,5–2	6
Folsäure	0,3–1	0,4 FÄ[5]
Biotin	0,05–0,070	0,03–0,06
Flavonoide total (Quercetin, Kaempferol, Apigenin, Naringin, Myrecetin u. a.)	40–2500	keine Empfehlung
davon: Quercetin	2,5[6]	
Rutin	60,0[6]	
Sterine Phytosterine (ß-Sitosterin u. a.) und Phytoöstrogene	300–1560[6]	keine Empfehlung

1 (122)
2 55–60 % der Nahrungsenergie von durchschnittlich 2500 kcal
3 Tocopherol-Äquivalente: 1 mg TÄ = 1 mg α-Tocopherol = 4 mg γ-Tocopherol
4 Niacin-Äquivalente: 1 mg NÄ = 1 mg Niacin = 60 mg Tryptophan (= Niacin-Vorstufe)
5 Folsäure-Äquivalente: 1 mg FÄ = 1 mg Nahrungsfolat = 0,5 mg synthetische Folsäre
6 (134)

Pollen – eine bunte Vielfalt

2.7 Bedeutung für die Ernährung und für die Gesundheit

Pollen kann den täglichen Speisezettel ergänzen und das allgemeine Wohlbefinden fördern – vor allem dann, wenn die Nährstoffversorgung unzureichend ist. Bedeutungsvoll für den Menschen sind vor allem die Nahrungsfasern, einige Mineralstoffe (Zink, Mangan, Eisen), Vitamine (ß-Carotin, B6, E, Folsäure, Biotin) sowie die gesundheitsfördernden Flavonoide und Phytosterine (→ S. 94).

Zur Nahrungsergänzung wird für Erwachsene eine Tagesmenge von 10 g (= ein bis zwei Teelöffel Trockenpollen) und für Kinder die Hälfte empfohlen (120). Pollen kann rein oder eingerührt in Joghurt, Quark und Müesli eingenommen werden. In Ausnahmefällen können nach der Aufnahme von Pollen allergische Reaktionen auftreten. Es wird immer wieder bezweifelt, ob der menschliche Magen das sehr harte Pollenkorn aufschliessen und dessen Inhalt wirklich nutzen kann. Erstaunlicherweise wurde festgestellt, dass die Pollenkörner ihre Inhaltsstoffe nicht mehr besitzen, wenn sie den Verdauungstrakt verlassen. Deshalb wird angenommen, dass die Verdauungssäfte den Inhalt des Pollenkorns durch dessen Poren herauslösen können (35). 26 % der Kohlenhydrate und 50–60 % der Eiweisse werden verdaut (49).

Manche Anbieter von Pollenprodukten haben aufgeschlossenen Pollen im Angebot. Über die genaue Methode des Aufschliessens schweigen sich diese Firmen aus. Die Pollenkornwand kann mit Hilfe von Enzymen aufgespalten oder auf mechanischem Wege aufgebrochen werden. Dadurch wird die Verfügbarkeit der Polleninhaltsstoffe erhöht.

2.8 Qualität von Pollen

Eine richtige Ernte, Reinigung und Lagerung des Pollens ist Voraussetzung für gute Qualität. Wichtig sind:
– starke Völker ohne Motten- und Kalkbrutbefall
– saubere Kästen und Pollenfallen
– tägliche Ernte
– zügiges Trocknen des Sammelgutes bei maximal 40 °C auf höchstens 6 % Wasser
– kühle und trockene Lagerung

Pollen sollte nicht geerntet werden, wenn die Bienenvölker in der Nähe von stark befahrenen Strassen, von Kehrichtverbrennungsanlagen und Fabriken mit schadstoffhaltiger Abluft aufgestellt sind.

Die Qualität von Pollen wird anhand einer Reihe von Kriterien geprüft:

- sensorische Qualität
- mikroskopische Qualität
- mikrobiologische Qualität

- chemische Qualität

→ typischer Geruch und Geschmack
→ keine sichtbaren Verunreinigungen
→ Prüfung der Herkunft
→ Bakterienbelastung innerhalb der von der Hygieneverordnung vorgesehenen Grenzwerte
→ Wassergehalt unter 6 g/100 g Pollen
→ Gehalt an Kohlenhydraten, Fett und Eiweiss feststellen, falls eine Nährstoffdeklaration auf der Etikette angebracht werden soll (122)

Pollen kann schnell von Bakterien oder Pilzen befallen werden. Daher ist eine Keimkontrolle vor dem Abfüllen in die Verkaufsgefässe sehr empfehlenswert. Die Schweizerische Pollenimkervereinigung kann dabei behilflich sein (Adresse siehe Kalender des Schweizer Imkers).

2.9 Vom Handel mit Pollen

Gesetzliche Vorschriften

Pollen ist in der Lebensmittelverordnung (LMV) noch nicht definiert. Deshalb müssen Imker ihren Pollen als neuartiges Lebensmittel durch das Bundesamt für Gesundheit (BAG) bewilligen lassen. Sie erhalten dafür eine BAG-Nummer. Sobald Pollen in der LMV definiert ist, wird eine Bewilligung nicht mehr nötig sein. Der Pollenimker ist der Sorgfaltspflicht unterstellt (→ S. 35). Für den Verkauf von Pollen gelten die allgemeinen Deklarationsvorschriften der Lebensmittelverordnung:
- Sachbezeichnung
- Mindesthaltbarkeitsdatum
- Name und Adresse des Herstellers, Importeurs, Abpackers oder Verkäufers
- Produktionsland
- Mengenangabe

Zahlen

Die Jahresproduktion der Imkereien, die der Schweizer Pollenimkervereinigung angeschlossen sind, betrug 1998 ungefähr 1000 kg. 10–20 % der Pollenimkereien sind nicht Mitglieder der Vereinigung. Ihre Jahresernten sind nicht erfasst.
Die Schweiz importiert schätzungsweise zwei bis drei Tonnen Pollen und pollenhaltige Produkte. Genaue Zahlen über den internationalen Handel liegen nicht vor. Die grössten europäischen Sammelgebiete sind Spanien (1986: ca. 1200 Tonnen), Portugal, Frankreich, Deutschland, Italien und etliche Länder Osteuropas (78, 125). Weitere wichtige Exportländer sind Kanada, die USA, Mittel- und Südamerika sowie China.

2 Pollen – eine bunte Vielfalt

Abb. 37
Pollen
abgefüllt von der Schweizer Pollenimkervereinigung.

Bienenwachs – ein duftender Baustoff

Stefan Bogdanov
Annette Matzke

Die Bienen vollbringen eine fantastische Leistung: Sie bauen mit Hilfe selbst produzierter, kleiner Wachsplättchen vollkommen gleichmässige Waben, die ihnen als Brut-, Honig-, Pollen- und Wärmespeicher dienen.

Abb. 38
Naturwabenbau
Normalerweise sucht sich ein Bienenvolk eine Höhle, zum Beispiel in einem alten Baumstamm, um sein Nest zu bauen. Dieses Volk errichtete seinen kunstvollen Wabenbau frei hängend an einem liegenden Baumstamm, weil es vermutlich keinen geeigneten Nistort gefunden hat.

Abb. 39
Naturbauwabe
Oben links verdeckelter Honig, in der Mitte offener Honig und vereinzelt Zellen mit Pollen. Naturbau ist schmelzend zart wie Butter und vermag doch Honig, Pollen und Brut zu tragen.

3 Bienenwachs – ein duftender Baustoff

3.1 Bienen erzeugen Wachs

Die Arbeiterinnen produzieren das Wachs in ihren Wachsdrüsen. Das sind spezialisierte Hautdrüsen, die sich auf der Bauchseite des Hinterleibes befinden. Sie sind bei 12 bis 18 Tage alten Bienen voll entwickelt. Bei älteren Bienen verkümmern die Wachsdrüsen, lassen sich aber in Notsituationen reaktivieren. Am meisten Wachs wird während der Wachstumsphase des Bienenvolkes in den Monaten April bis Juni erzeugt. Frisch produziertes Bienenwachs ist schneeweiss. Später verfärbt es sich hellgelb bis dunkelgelb. Die gelbe Farbe stammt von Propolis- und Pollenfarbstoffen.

Wachs-, Honig-, Propolis- und Pollenaromastoffe verleihen dem Bienenwachs seinen wohlriechend angenehmen Duft.

Die hauptsächlichen Rohstoffe für die Wachsbildung im Bienenkörper sind Kohlenhydrate, also Honig oder Zuckerwasser (Fructose, Glucose und Saccharose). Doch auch Pollen muss für die Jungbienen vorhanden sein, denn wenn eine Biene unmittelbar nach ihrem Schlüpfen keinen Pollen fressen kann, werden sich die Wachsdrüsen später in ihrem Leben nie voll entwickeln können (66).

Die Wachsproduktion und Bautätigkeit im Bienenvolk wird bestimmt durch
– den Nektareintrag (je mehr Nektar eingetragen wird, desto mehr Wabenzellen werden für die Einlagerung benötigt),
– das Brutgeschehen (je mehr ein Volk brütet, desto mehr Zellen braucht es, desto mehr wird gebaut),
– das Vorhandensein einer Königin (weisellose Völker bauen nicht),
– die Tagestemperatur (steigende Frühjahrstemperaturen, mehr als 15 °C, begünstigen die Bautätigkeit).

Die Wachswirtschaft der Bienen scheint also nach dem Angebot-Nachfrage-Prinzip zu funktionieren und sehr rationell zu sein. Es gibt keine überflüssige Wachsproduktion (→ Band „Biologie", S. 53).

Abb. 40

Wachs ausschwitzende Biene

Eine Biene hat auf der Bauchseite vier Wachsdrüsenpaare. Diese Drüsen „schwitzen" flüssiges Wachs durch die Zwischenringtaschen aus (→ Band „Biologie", S. 32). An der Luft erkaltet das Wachs sofort zu feinen, weissen Wachsplättchen. Diese Wachsschüppchen werden von den Hinterbeinen aufgespiesst und mit den Mundwerkzeugen verarbeitet. Eine Wachsschuppe ist winzig klein und wiegt etwa 0,008 g.

Bienenwachs – ein duftender Baustoff

3.2 Bienenwachs aus Waben gewinnen

Der Imker entnimmt seinen Völkern jährlich mehrere Altwaben und verschafft den Bienen dadurch Platz, damit sie im Frühjahr neue Waben bauen und ihren Bautrieb ausleben können. Diese Wabenbauerneuerung ist einerseits eine hygienische Massnahme, andererseits dient sie der Imkerin und dem Imker zur Wachsgewinnung. Reines Bienenwachs brauchen sie für Mittelwände (→ S. 62). Zudem wird es für Kerzen und in der Nahrungsmittel-, Kosmetik- und Pharmaindustrie verwendet.

Altwaben sind dunkelbraun bis schwarz. Diese dunkle Farbe stammt vom Larvenkot, von Puppenhäutchen (= Nymphenhäutchen) und vom Propolisüberzug. Die Waben müssen eingeschmolzen werden, damit das Wachs von diesen Bestandteilen (sie werden Wachstrester genannt) getrennt werden kann.

Die meisten Imker in der Schweiz verarbeiten ihre Waben und Wachsreste aus der Honigernte nicht selbst. Sie bringen diese zu Firmen, die sich auf das Wachsschmelzen und das Herstellen von Mittelwänden spezialisiert haben.

Die Ausbeute des Wachses ist abhängig von der Methode der Wachsgewinnung und vom Anteil Altwaben (je älter die Waben, desto grösser ist der Tresteranteil, desto weniger Gewichtsteile an reinem Wachs lassen sich herausholen). In der Regel werden Ausbeuten von 30–50 % erzielt, bei jungen, unbebrüteten Waben nahezu 100 %.

Das Wachs wird in zwei Schritten gewonnen: in einem ersten Schritt wird das Wachs extrahiert, in einem zweiten wird es gereinigt (32, 146).

Sonnenwachsschmelzer
Die Waben werden durch die Wärme der Sonnenstrahlen geschmolzen. Diese Methode ist effizient, umweltfreundlich und verursacht keine Energiekosten (→ Band „Imkerhandwerk", S. 96).

Abb. 41
Bei diesem Schmelzertyp werden die Waben waagrecht hineingelegt. Er fasst nur wenig Schmelzgut. Die Isolation der Seitenwände fehlt. Gewöhnliches Fensterglas würde die Sonnenwärme schneller und besser absorbieren als die Kunststoffscheibe.

Abb. 42
Schmelzertyp, bei dem die Waben ganz oder in Streifen geschnitten senkrecht hineingestellt werden. Er fasst mehr Schmelzgut als das Modell links. Seitenwände und Boden sind gut isoliert. Der Deckel (nicht im Bild) besteht aus zweifachem Fensterglas. Die Wachsausbeute ist in diesem Modell ebenso gut wie in einem Dampfwachsschmelzer.

3 Bienenwachs – ein duftender Baustoff

Dampfwachsschmelzer

Abb. 43
Die Waben mit Rahmen werden senkrecht in den bedampften Trog eingehängt. Das Wachs fliesst durch ein Sieb ab. Nach ungefähr 20 Minuten Schmelzzeit kann ein Wabenwechsel erfolgen.

Abb. 44
Preisgünstiger, effizienter Schmelzertyp aus hitzebeständigem Kunststoff-Behälter und Dampfgenerator („Dampfmeister"). Die Altwaben werden in ein Vliestuch eingewickelt und in den Behälter hineingestellt. Der Generator erzeugt sofort Dampf. Das Wachs fliesst durch das Vlies ab.
Bei beiden Schmelztypen fehlt eine Isolation der bedampften Tröge.

Erster Schritt: Wachsextraktion

Man unterscheidet drei Wachsextraktionsmethoden:

1. Schmelzen: Das am häufigsten angewandte Verfahren ist das Schmelzen. Das Wachs kann mit Hilfe von kochendem Wasser, mit Dampf, mit elektrischer oder mit Sonnenenergie aus den Waben geschmolzen werden (→ Band „Imkerhandwerk", S. 95).
2. Chemische Extraktion: Die zerkleinerten Waben werden mit einem Lösungsmittel vermischt, das Wachs löst. Gute Wachslösungsmittel sind Benzin und Xylol. Der Nachteil dieser Methode ist, dass Bestandteile der anderen Wabenteile wie Nymphenhäutchen, Propolis und Pollen ebenfalls gelöst werden. Dadurch wird die Qualität des Bienenwachses beeinträchtigt. Diese Methode ist nur in einem Labor durchführbar.
3. Ausfrieren: Die Waben werden benetzt und dann tiefgekühlt, anschliessend können Wachs und Nymphenhäutchen voneinander getrennt werden. Dieses Verfahren ist sehr schonend, da das Wachs nicht erhitzt wird. Es liegen mit dieser Methode bisher aber nur wenige praktische Erfahrungen vor (146).

Zweiter Schritt: Reinigung

In den meisten Fällen ist das durch Ausschmelzen gewonnene Wachs nicht rein genug für die Produktion von Mittelwänden. Zur Reinigung eignen sich beheizbare, in der Temperatur einstellbare Wasserbehälter aus Edelstahl oder Email am besten. Das Wachs bleibt für längere Zeit im Wasser bei einer Temperatur von 75–80 °C (am besten über Nacht). Da Wachs leichter ist als Wasser, steigt es, die Verunreinigungen senken sich ab. Sie müssen vom erkalteten Wachskuchen abgeschabt werden. Das flüssige Wachs kann zur Reinigung auch filtriert werden.

Bienenwachs kann mit Pflanzenschutzmitteln und Tierarzneimitteln (Akarizide) verunreinigt sein. Die Wachsextraktion entfernt diese Substanzen nicht aus dem Wachs, da sie hitzestabil sind. Einzelne Wachsraffinerien und pharmazeutische Firmen versuchen zwar, diese unerwünschten Stoffe aus dem Wachs herauszuholen. Doch ist dies ohne Qualitätseinbusse nicht möglich.

Was muss bei der Wachsgewinnung beachtet werden?

In der Schweiz geht die grösste Wachsmenge in Form von Mittelwänden zurück in die Imkereien. Damit die Bienen die Mittelwände annehmen und zu neuen Waben ausbauen, darf bei der Wachsgewinnung die Qualität des Wachses nicht beeinträchtigt werden:

- Eine zu grosse und zu lange Erhitzung kann das Wachs sowohl sensorisch (Wachs wird dunkler) als auch chemisch schädigen.
- Wachs darf nicht in Gefässen aus Eisen, Aluminium, Zink oder Kupfer erhitzt werden. Diese Metalle färben das Wachs dunkel. Es eignen sich daher am besten Gefässe aus Edelstahl und Email.
- Wachs darf nicht mit gärendem Honig in Kontakt kommen, sonst verändert sich sein Geruch.
- Das Kochen des Wachses tötet alle Mikroorganismen ab, nicht aber die hitzeresistenten Sporen von *Paenibacillus larvae*, der die bösartige Faulbrut verursachen kann. Erst die Erhitzung auf 100 °C oder unter Druck (1,4 Atm) auf 120 °C für 30 Minuten tötet alle Sporen ab (59, 89). Leider ist bis heute nicht bekannt, ob und welche Sporenmengen im Wachs Faulbrut verursachen können. Daher sollen Waben von verseuchten Bienenvölkern zum Schutz vor Verbreitung der Faulbrut verbrannt werden!
- Hartes oder eisenhaltiges Wasser führt zur Bildung von seifigen Emulsionen. Deshalb sollte weiches, mineralstoffarmes Wasser benutzt werden.

Abb. 45
Wachsblöcke reinigen
Die kleinen Wachsblöcke aus dem Sonnenwachsschmelzer (→ Abb. 42) werden im Wasserbad bei 80 °C verflüssigt. Als Filter dient eine Nylon-Damenstrumpfhose, die über den Gefässrand gespannt wurde. Sobald das Wachs flüssig ist, wird der Strumpf mit den Rückständen herausgehoben. Damit der restliche Schmutz (Propolisrückstände) im flüssigen Wachs langsam absinken kann, soll der Schmelztopf in eine gut isolierte Kiste gestellt werden. Der Schmutz auf dem Boden des erkalteten Wachskuchens wird mit dem Stockmeissel abgeschabt.

3.3 Wachs entfärben

Normalerweise ist das Bienenwachs nach dem Ausschmelzen und Reinigen schön gelb. Wenn es jedoch dunkel wurde, zum Beispiel durch Metalle oder Emulsionen, so kann es durch Kochen in verdünnten Säuren aufgehellt werden (128, 132). Für 1 kg Wachs werden 1 l Wasser und 1–1,5 ml konzentrierte Schwefelsäure (98 %) oder 2–3 g Oxalsäuredihydrat benötigt.

Achtung: Beim Umgang mit Chemikalien dieser Art immer Schutzhandschuhe, Schutzbrille und alte Kleidung tragen!

Abb. 46
Reine Bienenwachsblöcke
Der Wachsblock oben hat sich beim Schmelz- und Reinigungsvorgang dunkel verfärbt.

3.4 Bienenwachs richtig lagern

Nach dem Abkühlen werden die Wachsblöcke trocken, dunkel und kühl gelagert. Sie können in Packpapier verpackt und auf Holzregale gelegt oder in Gefässen aus Edelstahl, Glas oder Kunststoff aufbewahrt werden. So bleiben Farbe und Geruch am besten erhalten.

Mottenschäden
Reines Bienenwachs wird von Wachsmotten nicht befallen, weil es im Gegensatz zu den Waben kein Eiweiss enthält, das die Wachsmotten als Nahrung benötigen. Die Waben hingegen müssen vor der Wachsmotte geschützt werden (→ Band „Imkerhandwerk", S. 100 f.). Dazu gibt es verschiedene umweltfreundliche Methoden. Das giftige Paradichlorbenzol (oder p-Dichlorbenzol, kurz PDB) sollte nicht angewendet werden, weil es in Wachs und Honig Rückstände hinterlässt.

3.5 Was Bienenwachs enthält

Inhaltsstoffe

verschiedene Ester	67 g/100 g
Kohlenwasserstoffe	14 g/100 g
freie Säuren	12 g/100 g
Alkohole	1 g/100 g
andere	6 g/100 g

nach (138)

Bienenwachs ist chemisch eine äusserst komplizierte Stoffmischung, die hauptsächlich aus Estern besteht. Das sind Verbindungen aus Fettsäuren und Alkoholen. Neben den Estern enthält Bienenwachs noch kleinere Mengen an Kohlenwasserstoffen, Säuren und anderen Substanzen. Sehr viele Aromastoffe bereichern das Bienenwachs, ungefähr 50 davon wurden bisher identifiziert (46).

Das Wachs der verschiedenen Rassen von *Apis mellifera* enthält die gleichen Stoffe, wenn auch in etwas unterschiedlicher Zusammensetzung. Das Wachs anderer Bienenarten (*Apis florea* und *Apis cerana*) weist zum Teil andere Substanzen auf als das von *Apis mellifera* (21).

Verunreinigungen

Bienenwachs kann fettlösliche Schadstoffe enthalten. Sie stammen entweder aus der Umwelt oder aus der Imkerei.

Umweltschadstoffe sind vor allem Pflanzenschutzmittel (Pestizide), chlorierte Kohlenwasserstoffe, polyaromatische Kohlenwasserstoffe, Phthalate usw. Alle diese Stoffe können durch die Bienen eingetragen werden und somit auch das Wachs verunreinigen. Die grösste Bedeutung haben die chlorierten Kohlenwasserstoffe (z. B. DDT und die so genannten polychlorierten Biphenyle PCB). Sie sind sehr giftig und schwer abbaubar. Daher befinden sie sich auch dann noch in der Umwelt, wenn sie schon lange nicht mehr (DDT) oder nur noch wenig (PCB) verwendet werden. Die geringen Mengen dieser Stoffe, die sich im Bienenwachs befinden, schädigen vermutlich die Bienenbrut nicht (54).

Bienenmedikamente, Wachsmottenbekämpfungsmittel und **Holzschutzmittel** werden in der Imkerei gebraucht und können ins Wachs gelangen (10).

Akarizide zur Bekämpfung der Varroamilbe sind verbreitete und beunruhigende Rückstände im Bienenwachs, da sie bereits seit Jahren und immer noch eingesetzt werden. Die meisten Akarizide sind fettlöslich und reichern sich daher im Wachs an. Schweizerisches Bienenwachs kann die Akarizide Folbex VA® (Brompropylat), Perizin® (Coumaphos) und Apistan® (Fluvalinat) enthalten, und zwar 0,5–4 mg/kg Wachs (10). Schweizerisches und westeuropäisches Wachs sind ähnlich stark verunreinigt (17, 144). Die Untersuchungen zeigen, dass der Akarizidgehalt nach mehrjähriger Anwendung im Wachs der Mittelwände zunimmt. Auch wenn der Imker keine Akarizide mehr verwendet, dauert es sehr lang, bis sie aus dem Wachs verschwunden sind. Je nach Akarizid, Rückstandsmenge und Betriebsweise kann das bis zu mehreren Jahrzehnten dauern, weil Mittelwände immer aus alten Waben hergestellt werden.

Enthält das Wachs mehr als einen akariziden Wirkstoff, können sich diese Stoffe gegenseitig beeinflussen; ihre Wirkung kann sich ändern oder verstärken. Das permanente Vorhandensein der Akarizide fördert im Bienenvolk die Bildung von akarizidresistenten Milben. In vielen europäischen Ländern sind die Milben bereits gegen die Akarizide Fluvalinat (Apistan®) und Flumethrin (Bayvarol®) resistent.

Bienenwachs – ein duftender Baustoff

Paradichlorbenzol (PDB) wird als Imkerglobol oder als Wachsmottenkugeln im Wabenschrank gegen Wachsmotten eingesetzt. Obwohl diese Substanz flüchtig ist, bleibt sie bei der Wabeneinschmelzung im Wachs und verdunstet erst aus den Mittelwänden (143). PDB kann also aus dem Wachs in den Honig übertreten und ihn verunreinigen. Regelmässige Untersuchungen von Mittelwänden im Zentrum für Bienenforschung in Liebefeld zeigen, dass schweizerische Mittelwände 1–30 mg PDB pro kg enthalten.

Es sprechen demnach viele Gründe für die Wahl einer imkerlichen Betriebsweise, bei der *keine* Mittel angewendet werden, die das Wachs verunreinigen. (→ Band „Imkerhandwerk", S. 65, 100, 110).

Bienenwachs ist ein teures und beliebtes Produkt. Deshalb muss damit gerechnet werden, dass es mit kostengünstigeren Wachsen oder Paraffin gestreckt, aber trotzdem als reines Bienenwachs verkauft wird. Gemäss Gesetz muss Bienenwachs rein und frei von Zusätzen sein (108). Um die Qualität des Bienenwachses zu beurteilen und um Verfälschungen aufdecken zu können, wurden Qualitätskriterien für Bienenwachs aufgestellt. Diese sind in der schweizerischen Pharmacopoe angegeben (108). Sie umfassen organoleptische Eigenschaften (Farbe, Geruch) sowie physikalische und chemische Kennzahlen.

Sauberes Wachs durch die richtige Betriebsweise
Damit Bienenwachs möglichst naturbelassen bleibt und nicht durch Bienenbehandlungsmittel verunreinigt wird, sind vom Imker folgende Massnahmen zu treffen:
1. Bekämpfung der bösartigen Faulbrut nach den Richtlinien des Zentrums für Bienenforschung Liebefeld
2. Alternative Varroabekämpfung: biotechnische Massnahmen und Einsatz von organischen Säuren (Ameisensäure und Oxalsäure)
3. Bekämpfung der Wachsmotte ohne Paradichlorbenzol
4. Keine Verwendung von Holzschutzmitteln mit Insektiziden oder Fungiziden; stattdessen z. B. Propolistinktur
5. Keine Verwendung von nicht bewilligten und nicht empfohlenen Hilfsstoffen in der Imkerei, z. B. Folbex VA® (Brompropylat), Nosemak, Antibiotika (Streptomycin, Sulfathiazol, Sulfamethazin, Sulfamerazin, Tetracyclin, Oxytetracyclin)

3.6 Qualität von Bienenwachs

Qualitätskriterien von Bienenwachs

Allgemeine Qualität (128)

Schmelzpunkt	61–65 °C
Dichte	0,950–0,965
Brechungsindex (bei 75 °C)	1,440–1,445
Säurezahl	18–23
Esterzahl	70–80
Peroxidzahl	mindestens 8

Sensorische Qualität (146)

Farbe	gelb bis gelbbraun
Bruch	feinkörnig, stumpf, nicht kristallin
Geruch	typisch honigartig, besonders in der Wärme
Konsistenz	darf beim Schneiden nicht kleben, muss mit den Fingern knetbar sein und sie nicht beschmutzen, darf beim Kauen in den Zähnen nicht hängen bleiben

Echtheit (22)
typische Zusammensetzung (gaschromatografisch)

Die sensorischen, physikalischen und chemischen Eigenschaften sind zwar leicht messbar, geben aber keine sicheren Hinweise auf Verfälschungen. Kleinste Verfälschungen können nur durch eine gaschromatografische Bestimmung der Inhaltsstoffe aufgedeckt werden: Bereits Beimischungen von 1 % Fremdwachsen oder Paraffin können damit nachgewiesen werden (22).

Die Rückstände von Fremdstoffen im Bienenwachs spielen heute vermehrt eine Rolle für die Beurteilung der Wachsqualität, weil Bienenwachs nicht nur als Mittelwände in die Imkerei zurückgeht, sondern auch für Kerzen und in Kosmetika, Nahrungsmitteln und Arzneimitteln verwendet wird (→ S. 97).

Leider fehlen gültige gesetzliche Toleranzwerte für Rückstände, mit deren Hilfe verunreinigtes Wachs beanstandet werden könnte. Nur in den USA wird ein Toleranzwert für Fluvalinat angegeben (6 mg/kg).

3 Bienenwachs – ein duftender Baustoff

3.7 Mittelwände produzieren

Im Grossbetrieb

Schweizerische Firmen für den Imkereibedarf produzieren Mittelwände mit Grossmaschinen:
Beim Giessen durch Zylinder fliesst das Wachs direkt auf wassergekühlte Zylinder mit Zellprägung.
Beim Walzen werden zuerst Wachsbänder produziert. In einem zweiten Arbeitsgang werden daraus die Waben gewalzt.

Beim Imker

Immer mehr Imker ziehen es vor, ihre Mittelwände aus ihrem eigenen Wachs herzustellen. Dies ist vor allem dann vorteilhaft, wenn sie in ihrem Betrieb keine Akarizide und Wachsmottenbekämpfungsmittel einsetzen und deshalb rückstandsfreies Wachs verarbeiten können (→ Band „Imkerhandwerk", S. 97, 100).

Mittelwand Giessform
Die wassergekühlte Giessform eignet sich für jede Imkerei.

Abb. 47
Das flüssige, 80 °C warme Wachs wird mit einer Schöpfkelle in die offene Form gegossen.

Abb. 48
Die Form wird geschlossen, die Mittelwand gepresst. Überschüssiges Wachs fliesst vorne aus der Form in einen Auffangbehälter mit Wasser. Der Pressvorgang dauert 30 Sekunden.

Abb. 49
Die Form wird geöffnet, die fertige Mittelwand kann sorgfältig herausgehoben werden. Durch die hohlen Prägeplatten fliesst ständig ein feiner Wasserstrahl und kühlt diese.

3.8 Zahlen zur Wachswirtschaft

In schweizerischen Grossbetrieben werden nach deren eigenen Angaben 60–70 Tonnen inländisches Wachs pro Jahr gewonnen, was den Inlandbedarf an Wachs für Mittelwände deckt. Ein kleiner Rest bleibt für andere Zwecke.

Durchschnittlich werden 150 Tonnen Bienenwachs pro Jahr importiert (Eidgenössische Zollverwaltung). Weltweit wird Bienenwachs für folgende Zwecke verwendet: für die Kosmetikindustrie (40–50 %), die Pharmaindustrie (20–30 %) und andere Bereiche (z. B. Nahrungsmittelindustrie) (34). Fast das ganze kommerzielle Wachs stammt von *Apis mellifera*, insbesondere von *Apis mellifera ligustica*. (34)

3.9 Gesetzliche Vorschriften

Jeder Wachsproduzent, der Wachs verkauft, muss aufgrund seiner Sorgfaltspflicht die Qualität seines Wachses kontrollieren lassen. Die Wachskontrolle beinhaltet sowohl die sensorische wie auch die chemische Kontrolle.

3.10 Bienenwachs wird vielseitig verwendet

Bienenwachs dient ausser zur Mittelwand- und Kerzenherstellung als Werkstoff, als Heilmittel, als Zutat in Farben, Polituren und Kosmetika sowie als Überzugsmittel von Nahrungsmitteln und Tabletten (→ S. 94).

Abb. 50
Natürliches Schutz- und Glanzmittel
Bienenwachs wird als Trenn- oder Überzugsmittel für Lebens- und Arzneimittel verwendet. Bienenwachs verhindert ein Zusammenkleben der Gummibärchen und verleiht Tabletten, Marzipanfiguren und Kaffeebohnen weichen Glanz.

3 Bienenwachs – ein duftender Baustoff

Die Batikkunst entstand ursprünglich in Indonesien. Sie wurde durch die Verwendung von Bienenwachs erst möglich. Bienenwachs dient auch als Hilfsmittel bei der Restauration von Gemälden (32, 67). (→ Band „Natur- und Kulturgeschichte, S. 52–71)

Beliebt ist die Herstellung von Kerzen aus Bienenwachs.

Abb. 51

Bienenwachskerzen

Kerzen und Figuren aus Bienenwachs selber herzustellen ist für alle möglich. Am einfachsten und schnellsten geht dies durch Aufrollen von Mittelwänden (oben links). Eine andere einfache Methode ist das Ziehen von Kerzen durch Eintauchen des Dochtes in flüssiges Wachs (oben rechts).

Kerzen- oder Wachsfiguren können in Silikonformen gegossen werden (links).

4 Propolis – ein natürliches Antibiotikum

Stefan Bogdanov
Annette Matzke

Bäume scheiden an ihren Knospen, aber auch an Blättern, Zweigen und Rinde eine harzige Masse aus, um sich vor Infektionen zu schützen. Diese Harze werden von wenigen Bienen eines Volkes gesammelt. Sie tragen Propolis an den Hinterbeinen „gehöselt" in den Stock. Wahrscheinlich spielt Propolis eine grosse Rolle für die Hygiene des Bienenvolkes.

Das Wort Propolis stammt aus dem Griechischen: „pro" = vor, „polis" = Stadt; Propolis = „vor der Stadt" = „Stadtmauer" = Stadtschutz.

Abb. 52
Kittharz-Sammlerin auf einer Pappelknospe

Abb. 53
Propolissammlerin im Bienenstock
Ein Propolis-Wachs-Gemisch wird an vielen Stellen im Stock häufchenweise zwischengelagert.

4 Propolis – ein natürliches Antibiotikum

4.1 Bienen sammeln Propolis

Die Bienen dichten vor allem Spalträume mit Propolis ab, die nicht grösser als 5 mm sind. Je grösser der Spalt ist, desto mehr Wachs setzen sie hinzu. Propolis aus Spalträumen von maximal 5 mm ist wachsarm, Propolis an Rähmchenseitenleisten enthält 16–23 % Wachs, jene an Rähmchenoberleisten 32–56 % (103). Mit Propolis desinfizieren die Bienen die Innenwände ihrer Wohnung und den Wabenbau und dichten kleinere Ritzen ab. Der Propolisüberzug verleiht den Waben grössere Festigkeit. Getötete Eindringlinge wie Schnecken und Mäuse, die von den Bienen nicht hinausgeschleppt werden können, werden mit Propolis mumifiziert. Die Bienen legen Propolis ausserdem als „Fussmatte" ins Flugloch, so dass jede Biene beim An- und Abflug mit Propolis in Berührung kommt.

In Europa und in den gemässigten Klimazonen Amerikas und Asiens sammeln die Bienen Baumharze in erster Linie von Pappeln und Birken, aber auch von Kastanien, Erlen u. a. Je nach Region wählen sie unterschiedliche Gewächse.

Zum Propolissammeln bevorzugen die Bienen wärmere Tageszeiten, weil dann die Harze weich sind. Mit den Mandibeln nehmen sie die fadenziehende Masse von der Knospe ab und ziehen, bis der Faden reisst. Dabei mischen sie Sekrete der Mandibeldrüsen unter die Masse, wodurch diese geschmeidiger wird. Die Masse kleben sie in den Körbchen der Hinterbeine zu „Höschen" fest. Im Bienenstock bleibt die Sammlerin nahezu regungslos, bis ihre Propolishöschen von anderen Bienen abgenagt werden (92, 98).

Propolis wird in Europa vor allem im Spätsommer und im Herbst gesammelt, wenn sich die Völker auf das Überwintern vorbereiten. Die kaukasische Biene *Apis mellifera caucasica* sammelt am meisten Propolis, Ligustica, Carnica und Mellifica etwas weniger. Die asiatischen Bienen tragen keine Propolis ein.

Pro Sammelflug erntet die Biene ungefähr 10 mg Propolis. Wenn man annimmt, dass ein Bienenvolk pro Jahr 100 g Propolis sammelt, braucht es dafür 10 000 Sammelflüge. Im Durchschnitt sammelt ein Bienenvolk 50–150 g pro Jahr, aber gute Sammelvölker wie die kaukasischen Bienen können 250–1000 g pro Jahr sammeln (75).

Abb. 54

Propolisstücke

Propolis ist, je nach geografischer und botanischer Herkunft, unterschiedlich gefärbt. Das dunkelste Stück stammt aus Südamerika, die drei andern aus der Schweiz. Die geografische Herkunft von Propolis kann mit Hilfe des Pollens bestimmt werden, der in der Propolis mit eingeschlossen ist (115).

4.2 Propolis ernten

Das Bestreben der Bienen, undichte Stellen des Bienenstockes abzudichten, kann sich der Imker zunutze machen. Er gibt den Bienen gezielt und planmässig Stellen zum Abdichten, um nennenswerte Mengen an sauberer Propolis gewinnen zu können.

Zwischen den Deckbrettchen bei Hinterbehandlungsbeuten lässt man einen Spalt von maximal 5 mm offen. Diesen kitten die Bienen mit Propolis zu. Die Propolis muss sorgfältig abgekratzt werden, damit sie möglichst keine Holzsplitter und sonstige Verunreinigungen enthält (103). Diese Propolis eignet sich in erster Linie für den technischen Gebrauch.

Kunststoffgitter ist das geeignete Sammelgerät, um saubere Propolis zu erhalten. Weitere Sammelmöglichkeiten sind Metallgitter, Sackleinen und Kunststoffgewebe. Die Sammelmethode beeinflusst vermutlich auch die Zusammensetzung der Propolis. Da angestrebt wird, Propolis gleicher Qualität zu ernten, sollte nur eine Sammelmethode verwendet werden, vorzugsweise die Kunststoffgittermethode.

Ein Kunststoffgitter wird entweder auf die Wabentragleisten aufgelegt oder in einen Rahmen montiert. Es verbleibt während des ganzen Sommers im Volk und wird vor der Auffütterung entfernt. Die Propolis kann mit einem Schraubenzieher aus den Spalten herausgelöst werden. Leichter geht die Ernte, wenn das Kunststoffgitter erst tiefgefroren und die Propolis dann möglichst rasch abgeklopft wird (sehr kalte Propolis ist spröde und springt leicht ab).

Da ein häufiger, intensiver Hautkontakt mit Propolis Hautausschläge auslösen kann, ist es ratsam, beim Ablösen und Sammeln der Propolis Handschuhe zu tragen.

Abb. 55
Propolis auf Wabenrahmen
Die einfachste Art, Propolis zu gewinnen, ist, Propolis bei Reinigungsarbeiten von den Rahmen und den Innenwänden der Bienenkästen abzukratzen. Diese Propolis enthält jedoch oft Holz- und Metallsplitter und kann nur für technische Zwecke verwendet werden.

Abb. 56
Kunststoffgitter (Ausschnitt)
Im Gegensatz zu Sammeleinrichtungen aus Holz, Leinen oder Metall bietet das Kunststoffgitter die beste (sauberste) Methode für das Propolissammeln. Diese Propolis eignet sich für medizinische Zwecke.

Propolis – ein natürliches Antibiotikum

4.3 Propolis lagern und verarbeiten

Am besten wird frisch geerntete, unverarbeitete Propolis in gut verschliessbaren Glasgefässen kühl, trocken und dunkel gelagert (65, 104). Gut verschlossen deshalb, weil ein bedeutender Teil der Propolissubstanzen (1–2 %) flüchtig ist (55). Propolis kann auch tiefgekühlt werden. Sie ist so am einfachsten im Mörser zu Pulver vermahlbar. Propolistinktur wird ebenfalls in gut verschliessbaren Glasgefässen kühl und dunkel gelagert.

Um Propolistinkturen herstellen zu können, werden Waage, Messzylinder, gut verschliessbare Glasgefässe, Filterpapier und Alkohol benötigt. Ein Mörser dient zum Zerreiben von Propolis für die Herstellung alkoholfreier Salben.

Propolis für Propolistinktur
- saubere, rückstandsfreie Propolisstücke von Hand sammeln
- saubere Propolis in medizinischem Alkohol (60–80 %) auflösen
- mindestens 2, besser 14 bis 30 Tage im Dunkeln stehen lassen und täglich schütteln (je länger Propolis extrahiert wird, desto höher ist der Gehalt an Wirkstoffen)
- Alkohol-Propolis-Lösung filtrieren (feiner Schlamm bleibt im Filter)
- Propolistinktur in dunkle, gut schliessende Glasgefässe abfüllen
- Mengen aufschreiben, um die Konzentration ermitteln zu können

Beispiel einer günstigen Konzentration:
100 g Propolis + 400 g medizinischer Alkohol = 20 %iger Ansatz
(meist werden 5–30 %-ige Lösungen zubereitet).

Propolis für alkoholfreie Medizin und Salben
- saubere, rückstandsfreie Propolisstücke von Hand sammeln
- Propolisstücke tiefkühlen
- tiefgekühlte Propolis mörsern und in Wasser einrühren oder in Salbengrundmasse einarbeiten
- Masse in dunkle, gut schliessende Glasgefässe abfüllen
- Mengen aufschreiben, um die Konzentration ermitteln zu können

4.4 Was Propolis enthält und wie sie wirkt

Propolis setzt sich aus den gesammelten Pflanzenharzen, dem beigefügten Wachs, dem zufällig enthaltenen Pollen sowie den Sekreten der Biene zusammen.
Die Analyse der einzelnen Bestandteile gestaltet sich schwierig, da Propolis eine Vielfalt verschiedenster Substanzen enthält. Zudem ist Propolis keine konstant gleich zusammengesetzte Masse. Die Zusammensetzung hängt davon ab, von welcher Pflanze sie stammt, in welcher Jahreszeit und in welcher Region der Erde sie gesammelt wurde (2, 57, 90, 142, 152). Das bedeutet, dass Propolis nicht immer gleich wirkt. Deshalb ist es schwierig, ein medizinisches Standardprodukt herzustellen.

Propolis besteht zu einem grossen Teil aus Harzen und Wachs. Es wurden in Propolis bis heute mehr als 200 verschiedene Substanzen identifiziert. Wichtig für die Wirkung von Propolis sind die alkohollöslichen Substanzen – in erster Linie die Polyphenole. Diese kommen besonders in europäischer Propolis in grösseren Mengen vor (152) und umfassen eine Vielzahl von verschiedenen Substanzen mit teilweise unterschiedlichen Wirkungen. Sie sind auch in pflanzlichen Lebensmitteln enthalten und gewinnen zunehmend an Bedeutung. Sie wirken gesundheitsfördernd, wenn sie in geringen Mengen aufgenommen werden (145). In grossen Mengen sind sie schädlich (86). Es besteht aber bei Imkern das bekannte Phänomen, dass ein häufiger Kontakt mit Propolis zu einer Kontaktallergie führen kann (1). Auch ein tägliches Lutschen von Propolis kann zu Hautirritationen führen (60). Es ist daher empfehlenswert, erst die Verträglichkeit von Propolis zu testen – besonders bei Personen mit Allergien (→ S. 95).

Hautcremen mit 1–2 % Propolis scheinen die Haut gut zu regenerieren (106).

Mit stark konzentrierter Propolis-Brennsprit-Lösung kann das Holz auf schonende Art geschützt werden. Aussenwände von Bienenkästen werden drei- bis viermal eingestrichen. Der Anstrich muss nach zwei bis drei Jahren erneuert werden.

Tab. 13   **Inhaltsstoffe von Propolis**

Stoffgruppe	%-Anteil in Rohpropolis	Anmerkungen
Kohlenwasserstoffe, Wachse, hochmolekulare Ester, Ether und Ketone, höhere Fettsäuren, Steroide	5–40	stammen zum grossen Teil vom Bienenwachs, bleiben im Rückstand nach Filtration einer alkoholischen Propolislösung
Polyphenole: Chalkone, Dihydroxychalkone, Flavanone, Flavone, Flavonole	5–50	alkohollöslich
aromatische Säuren, Ester aromatischer Säuren mit Alkoholen, Terpenoide, Alkohole, Aldehyde, Ketone	1–25 g/100 g	meistens alkohollöslich
Aminosäuren, Zucker, Vitamine, Mineralstoffe	1–10 g/100 g	wasserlöslich und nur wenig alkohollöslich

Die quantitativen Angaben sind Schätzungen nach (55, 57, 82, 90, 126)

Propolis – ein natürliches Antibiotikum

So wirkt Propolis (→ S. 95)
- bakterizid (vor allem gegen Eiterbildner)
- verstärkt die Antibiotika-Wirkung, vermindert die Bildung von Antibiotika-Resistenzen
- antiviral (z. B. gegen Herpes-Viren)
- fungizid
- gegen Parasiten (z. B. Trichonomaden)
- hemmt das Wachstum bestimmter Krebszellen
- entzündungshemmend
- fördert die Regeneration
- antioxidativ
- immunmodulierend
- lokal betäubend, schmerzstillend, spasmenlösend
- fördert die Durchblutung
- setzt die Blutgerinnung herab
- keimhemmend (= Samen keimen nicht aus)

nach (55, 82, 90, 130, 145, 153)

4.5 Qualität von Propolis

Die Qualität von Propolis hängt einerseits davon ab, wie sorgfältig Propolis von Rähmchen, Leisten, Sammelgittern und Innenwänden der Bienenkästen gelöst wird. Andererseits bestimmen die Inhaltsstoffe die Wirksamkeit von Propolis und somit deren Qualität.

Propolis für medizinische und kosmetische Zwecke darf keine Holz- oder Metallsplitter enthalten. Propolis sollte ausserdem frei von Bienenresten oder Schädlingen sein. Daher sind nur Kunststoffgitter zum Sammeln geeignet. Wenn nötig, ist ein Auslesen von Hand empfehlenswert. Da sich in Propolis Blei, Cadmium, Tierarzneimittel wie Akarizide oder Insektenbekämpfungsmittel (Paradichlorbenzol) anreichern können, sollte Propolis von Bienenvölkern stammen, die diesen Substanzen nicht ausgesetzt sind (10, 17, 47).

Eine chemische Analyse gibt Aufschluss über den Grad der Verunreinigung. Die für Honig festgelegten Höchstwerte an Rückständen dürfen nicht überschritten werden. Andernfalls wird das Propolisprodukt von der Interkantonalen Kontrollstelle für Heilmittel IKS nicht als Heilmittel zugelassen.

Wird Propolis für technische Zwecke gebraucht (z. B. Farbanstriche), kann sie von Rähmchen oder Metallgittern abgeschabt werden. Verunreinigungen müssen nicht aussortiert werden. Die so geerntete Propolis wird in dicht schliessbare Gefässe abgefüllt und mit Brennsprit übergossen. So bleibt die Lösung ungefähr einen Monat stehen, sollte aber täglich geschüttelt werden. Danach wird sie abgesiebt. Je konzentrierter die Propolislösung, desto besser die Wirkung, desto schützender der Anstrich.

Es wurden Qualitätskriterien für die Beurteilung von Propolis vorgeschlagen (75, 139, 152). Da aber die Zusammensetzung von Propolis je nach botanischer und geografischer Herkunft stark variiert, gibt es keine international anerkannten Qualitätsnormen in Bezug auf ihre sensorischen und chemischen Eigenschaften. Unterschiede gibt es zudem im Gehalt von Wirkstoffen der Propolistinkturen. Propolistinkturen haben die höchste biologische Aktivität, wenn sie mit 60–80 % Ethanol zubereitet wurden (107).

Qualitätskriterien für Propolis
- Sauberkeit (kein Holz, kein Metall)
- keine synthetischen Akarizide und kein Paradichlorbenzol („Imker-Globol")
- keine übermässige Schwermetallbelastung (Volk nicht in der Nähe von schwermetallhaltigen Abgasen von Verkehr und Industrie halten)
- möglichst hoher Gehalt an Polyphenolen (entweder gesamte Propolis oder alkoholische Lösung von Propolis)
- möglichst wenig Wachs

nach (75, 139, 152)

Sensorische Eigenschaften
- Konsistenz: bei Temperaturen höher als 30 °C geschmeidig und sehr klebrig, unter 15 °C dagegen fest und spröde
- Aroma: duftet markant und angenehm harzig
- Geschmack: schmeckt bitter und scharf
- Farbe: variiert stark nach botanischer und geografischer Herkunft von braungelb, braungrün oder braunrot bis dunkelrot

Physikochemische Eigenschaften
- Dichte: 1,11 bis 1,14
- Schmelzpunkt: 80–105 °C
- wenig wasserlöslich, sogar beim Kochen
- gute Löslichkeit in Alkohol, die mit zunehmender Wärme und Einwirkzeit steigt, Wachsbestandteile bleiben unlöslich
- viel besser löslich in Mischungen verschiedener Lösungsmittel (Ethanol-Chloroform, Ethanol-Toluol: diese Lösungen nur für analytische Zwecke)

Abb. 57
Propolislack
Die berühmten Geigenbauer Stradivari, Amati und andere haben Propolis für den Geigenlack benutzt (82). Auch heute noch verwenden manche Geigenbauer wachsfreie Propolis entweder für die Grundierung oder als Weichmacher für harte und spröde Lacke, mit denen sie das Holz der Geige von aussen bestreichen. Diese Lacke dürfen nur wenig Propolis enthalten, da sie sonst zu weich sind und kleben können.

5 Gelée Royale – ein Futtersaft mit Formkräften

Stefan Bogdanov
Annette Matzke

Die Larven in den Königinnenzellen werden von Ammenbienen besonders ausgiebig mit einem speziellen Futtersaft genährt. Dieser Futterbrei, auf dem die Larven wie auf einem Bett ruhen, heisst Gelée Royale.

Abb. 58
Weiselzellen
In den länglichen, nach unten hangenden, sackähnlichen Zellen wachsen Königinnen heran (Arbeiterinnen und Drohnen werden in den gewöhnlichen, sechseckigen, waagrecht liegenden Zellen aufgezogen).

Abb. 59
Gelée Royale
Die Königinnenzelle rechts wurde geöffnet, damit Gelée Royale und Königinnenlarve sichtbar werden.

5 Gelée Royale – ein Futtersaft mit Formkräften

5.1 Bienen erzeugen Gelée Royale

Die Bienen füttern die Larven der Arbeiterinnen, Drohnen und Königinnen mit einem speziellen Futtersaft, der in ihren Futtersaftdrüsen produziert wird (→ Band „Biologie", S. 29). Sowohl die Futtersäfte für Arbeiterinnen und Drohnen als auch jener für Königinnen, der Gelée Royale genannt wird, besitzen die gleichen Hauptkomponenten (Eiweiss, Fett, Kohlenhydrate) (114). Allerdings enthält Gelée Royale mehr Aminosäuren, Nukleotide (Bausteine für die Erbsubstanz) und Vitamine als die Futtersäfte für Arbeiterinnen und Drohnen. Ausserdem ist das Fettsäuremuster anders (87). Deshalb wird angenommen, dass der Gehalt an Aminosäuren, Nukleotiden und Vitaminen sowie das Juvenilhormon im Weiselfuttersaft für die Königinnenentwicklung entscheidend ist (114).

5.2 Spezialisierte Imkereien sammeln Gelée Royale

Ein sich normal entwickelndes Bienenvolk zieht nur während der Schwarmzeit 10 bis 20 Königinnen auf. Eine Gelée-Royale-Ernte aus so wenigen Zellen würde sehr mager ausfallen. Um nennenswerte Mengen an Weiselfuttersaft ernten zu können, bedarf es eines Tricks: Der Imker entfernt die Königin eines Volkes während längerer Zeit und nutzt so den Trieb der Bienen, bei Weisellosigkeit ständig neue Königinnen nachzuziehen. Um die Gelée-Royale-Ernte zu vereinfachen, werden den Bienen künstliche Weiselzellen zugehängt, in die zuvor jüngste Larven hineingelegt wurden („umlarven" nennt man diesen Arbeitsschritt). Die umgelarvten Maden werden nun von den Bienen mit Gelée Royale versorgt.

Auf diese Weise kann der Imker pro Volk und Saison bis zu 500 g Weiselfuttersaft ernten. Die Ernte von Gelée Royale ist aufwändig. Daher übernehmen nur speziell eingerichtete Imkereien diese Arbeit. In der Schweiz gibt es keine Gelée-Royale-Produzenten.

Produktionsmethoden
Bei der diskontinuierlichen Methode wird zuerst die Bienenkönigin aus dem Volk entfernt. Dann werden Rahmen mit künstlichen Weiselzellen ins weisellose Volk eingehängt. Alle drei Tage werden die Zellen dem Volk entnommen und durch neu belarvte ersetzt. Der Gelée Royale wird aus den herausgenommenen Zellen abgesogen und sofort richtig gelagert (→ S. 76). Der Nachteil dieser Methode ist, dass nach 3 bis 4 Ernten eine Pause eingelegt werden muss, da die Produktionsmenge von Gelée Royale nach einer gewissen Zeit abnimmt.

Aus diesem Grund wird überwiegend die kontinuierliche Methode angewandt, die eine permanente Produktion während der ganzen Bienensaison ermöglicht. Die Königin wird in einem Ableger vor den Spenderkasten gestellt (→ Ablegerbildung, Band „Imkerhandwerk", S. 52). Bei jeder zweiten Gelée Royale-Ernte werden Waben mit bedeckelter Arbeiterinnenbrut aus dem Ableger ins weisellose, Gelée Royale produzierende Muttervolk eingehängt. Dadurch erhält das weisellose Volk neue Ammenbienen und im Ableger entsteht Platz für neue Brutanlagen.

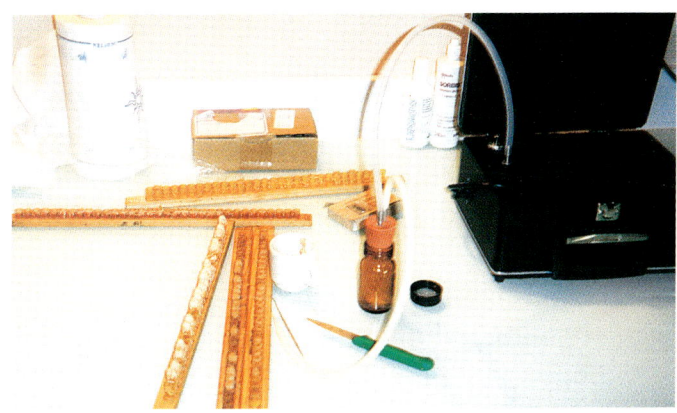

Abb. 60
Gelée Royale absaugen
Nachdem die Königinnenlarven aus den Zellen herausgehoben wurden, wird der Gelée Royale mit Hilfe einer Vakuumpumpe abgesogen und sofort gekühlt gelagert.

5.3 Gelée Royale reinigen und lagern

Sofort nach der Ernte muss Gelée Royale mit Hilfe eines groben Filters, dessen Poren 0,2 mm gross sind, von Pollen, Wachsstückchen und Larventeilen gereinigt werden.

Gelée Royale ist ein leicht verderbliches Produkt und ist direkt nach der Ernte in dunkle Glasgefässe abzufüllen sowie lichtgeschützt und gekühlt zu lagern. Frischer Gelée Royale kann bei 0–5 °C bis zu einem halben Jahr und in tiefgekühltem Zustand 2 bis 3 Jahre ohne Qualitätsverlust aufbewahrt werden. Nach längerer Lagerung wird er ranzig.

Tiefgekühlter Gelée Royale kann unter Vakuum getrocknet werden (Gefriertrocknung oder Lyophylisierung). Der lyophylisierte Gelée Royale, ein weisses bis hellbeiges Pulver, ist stark Wasser anziehend und muss daher in dicht verschliessbaren, dunklen Gläsern gelagert werden. Gefriergetrockneter Gelée Royale ist bei Raumtemperatur haltbar und kann so einfacher transportiert werden als in frischem Zustand. Bei der Gefriertrocknung bleiben zwar die meisten Inhaltsstoffe erhalten, aber wahrscheinlich gehen flüchtige Aromastoffe verloren.

5.4 Was Gelée Royale enthält

Der Weiselfuttersaft stammt aus den Futtersaftdrüsen der Ammenbienen und enthält Sekrete aus den Oberkieferdrüsen. Zur Hauptsache besteht der Saft aus Wasser. Seine Trockensubstanz enthält überwiegend Kohlenhydrate, Proteine, Aminosäuren und Fette. Die Kohlenhydrate sind fast ausschliesslich Fructose, Glucose und Saccharose. Bei den Fetten fällt vor allem eine Fettsäure auf – die 10-Hydroxy-2-decensäure. Diese Säure hemmt das Wachstum von Bakterien. Vermutlich enthält Gelée Royale deshalb auch nur wenige Bakterien – trotz des hohen Wassergehaltes (124).

Im Gelée Royale sind zudem enthalten
– kleinere Mengen an Mineralstoffen und Vitaminen
– Pantothensäure
– kleine Mengen Sterine wie Cholesterin und Stigmasterin (37)
– bedeutende Mengen Biopterin und Neopterin (45). Biopterin und Neopterin sind Vorstufen zum Vitamin Folsäure und erfüllen im Körper verschiedene Funktionen, wie zum Beispiel die Bildung von Botenstoffen im Nervensystem und die Regulation von Wachstum und Zelldifferenzierung (53).

Gelée Royale – ein Futtersaft mit Formkräften

Inhaltsstoffe von Gelée Royale[1] Tab. 14

	Minimum–Maximum	Referenzwerte für die tägliche Nährstoffzufuhr eines Erwachsenen[2]
Hauptbestandteile	g/100 g	g/Tag
Wasser	60–70	
Eiweiss und freie Aminosäuren	9–18	46–59
Fette	4–8	ca. 80
davon: 10-Hydroxy-2-decensäure	1,4–6,0	
Zucker total	11–23	
davon:		
Fructose	6–13,0	
Glucose	4,0–8,0	
Saccharose	0,5–2,0	60
Mineralstoffe	mg/100 g	mg/Tag
total	800–3000	
davon:		
Kalium	200–1000	2000
Magnesium	20–100	300–350
Calcium	25–85	1000
Eisen	1–11	10–15
Zink	0,7–8	7–10
Kupfer	0,33–1,6	1–1,5
Vitamine	mg/100 g	mg/Tag
Thiamin (B1)	0,1–1,7	1,1–1,3
Riboflavin (B2)	0,5–2,5	1,2–1,5
Pyridoxin (B6)	0,2–5,5	1,2–1,5
Niacin	4,5–19	13–17 NÄ[5]
Pantothensäure	3,6–23	6
Biotin	0,15–0,55	0,3–0,06
Folsäure	0,01–0,06	0,4 FÄ[6]
Sterine[3]	0,3%	
Biopterin, Neopterin[4]	keine Angaben	

1 nach (123)
2 (36)
3 (37)
4 (45)
5 Niacin-Äquivalente: 1 mg NÄ = 1 mg Niacin = 60 mg Tryptophan (= Niacin-Vorstufe)
6 Folsäure-Äquivalente: 1 mg FÄ = 1 mg Nahrungsfolat = 0,5 mg synthetische Folsäure

5.5 Bedeutung für die Ernährung und die Gesundheit

Der Stellenwert von Gelée Royale für die menschliche Ernährung ist, bei einem empfohlenen Konsum von 5–10 g/Tag, verhältnismässig gering. Die Vitamine, besonders die Pantothensäure, könnten eine Rolle spielen, da 10 g Gelée Royale ungefähr ⅕ der empfohlenen Tageszufuhr liefern.

Im Fernen Osten ist dieses Produkt wegen seiner gesundheitsfördernden Eigenschaften sehr beliebt. Es wird dort viel über die biologische Wirkung von Gelée Royale geforscht. Die 10-Hydroxy-2-decensäure ist dabei ein wichtiger Wirkstoff. Tierexperimente zeigen:

– Gelée Royale wirkt antimikrobiell, was vermutlich auf die 10-Hydroxy-2-decensäure zurückzuführen ist (124).
– 10-Hydroxy-2-decensäure wirkt krebshemmend (137).
– Gelée Royale beeinflusst die Regulation von Blutzucker und Blutdruck (105).
– Proteine von Gelée Royale erhöhen die Zellvitalität und haben Einfluss auf die Zellteilungsrate (154).
– Injektionen von Gelée Royale in Mäusen erhöhen das Wachstum, die motorische Aktivität und die Atmung (29, 30).
– Orale Gaben von Gelée Royale an Mäuse bewirken eine Verkleinerung der Prostata und der Testikeln, eine Zunahme des Schilddrüsenhormonspiegels u. a. (29, 30) (→ S. 96).

5.6 Qualität von Gelée Royale

Wer Gelée Royale verkaufen will, muss die Sorgfaltspflicht erfüllen (→ S. 35).

Die Beschreibung von Gelée Royale im Schweizerischen Lebensmittelbuch legt den Inhalt von Routinequalitätsuntersuchungen fest. Weichen die ermittelten Werte von den Normwerten ab, so deutet dies auf eine Verfälschung oder eine ungenügende Qualität hin. Am ehesten ist eine Verfälschung mit Honig zu erwarten. Das wichtigste Qualitätsmerkmal ist die 10-Hydroxy-2-decensäure (7). Der mikroskopisch ermittelte Anteil an Pollen, Wachsstückchen und Larventeilen darf nicht zu gross sein. Normalerweise enthält Gelée Royale sehr wenige Bakterien (7). Sein Schadstoffgehalt ist gering (47). Die geografische Herkunft kann mit Hilfe der Pollenanalyse ermittelt werden (116).

Qualitätskriterien von Gelée Royale

sensorische Qualität	typische Farbe: gelblich bis weiss, nach längerer Lagerung gelblicher
	typischer Geruch: säuerlich, stechend phenolisch, nach längerer Lagerung ranzig
	typischer Geschmack: säuerlich bis süss
mikroskopische Qualität	Pollen, wenig Wachsstücke, Larventeile
mikrobiologische Qualität	Gehalt an Mikroorganismen sollte der hygienischen Verordnung entsprechen
chemische Qualität	Gehalt an Wasser, Eiweiss, Zucker, 10-Hydroxy-2-decensäure (Werte nach Tabelle „Inhaltsstoffe") und pH-Wert

5.7 Vom Handel mit Gelée Royale

Gelée Royal ist nach schweizerischer und europäischer Gesetzgebung ein Lebensmittel. Für Lebensmittel sind Gesundheitsanpreisungen verboten. Gesundheitsfördernde Hinweise sind jedoch erlaubt, wenn diese begründet sind.

Gelée Royale ist in der Lebensmittelverordnung noch nicht definiert. Deshalb müssen Imker ihren Gelée Royale als neuartiges Lebensmittel durch das Bundesamt für Gesundheit (BAG) bewilligen lassen. Sie erhalten dafür eine BAG-Nummer. Sobald Gelée Royale in der LMV definiert ist, wird eine Bewilligung nicht mehr nötig sein.

Mit einer Ernte von mehreren Dutzend Tonnen pro Jahr ist China gegenwärtig der grösste Produzent von Gelée Royale. In Europa wird es vor allem in Osteuropa und, in geringem Ausmass, in Frankreich, Italien und Spanien produziert. Genaue Zahlen zum internationalen Handel gibt es nicht.

In der Schweiz wird kein Gelée Royale für den Handel geerntet.

Gelée Royale wird in unterschiedlichen Formen im Handel angeboten:
- frisch, das heisst unverarbeitet, zum Beispiel in Ampullen
- lyophylisiert in Pillenform
- gemischt mit Met (Honigwein), Honig oder anderen Produkten

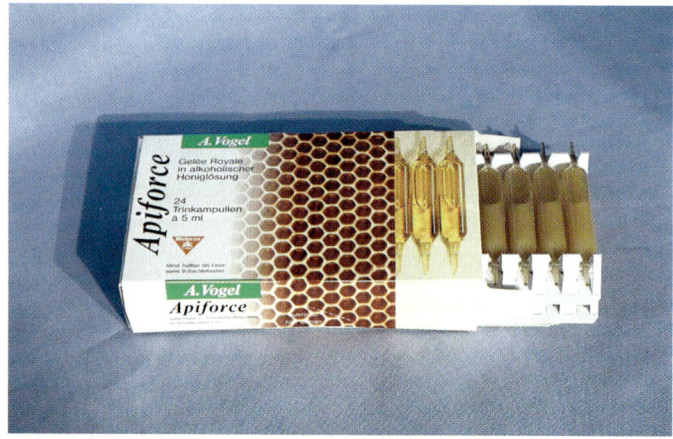
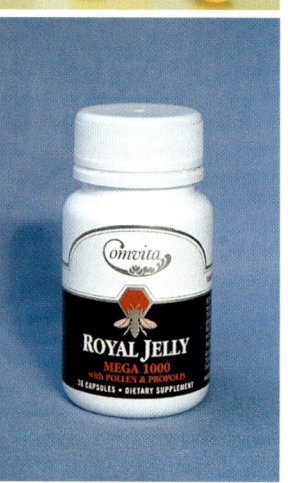

Abb. 61
Produkte mit Gelée Royale
Oben links: Gelée-Royale-Kapseln mit Weizenkeimöl
oben: Gelée Royale in alkoholischer Honiglösung mit natürlichen Aromastoffen, 600 mg pro Ampulle
links: Gelée-Royale-Kapseln (1000 mg) mit Pollen (100 mg) und Propolis (250 mg)

6 Bienengift – ein belebender und tödlicher Saft

Stefan Bogdanov
Kathrin Rieder

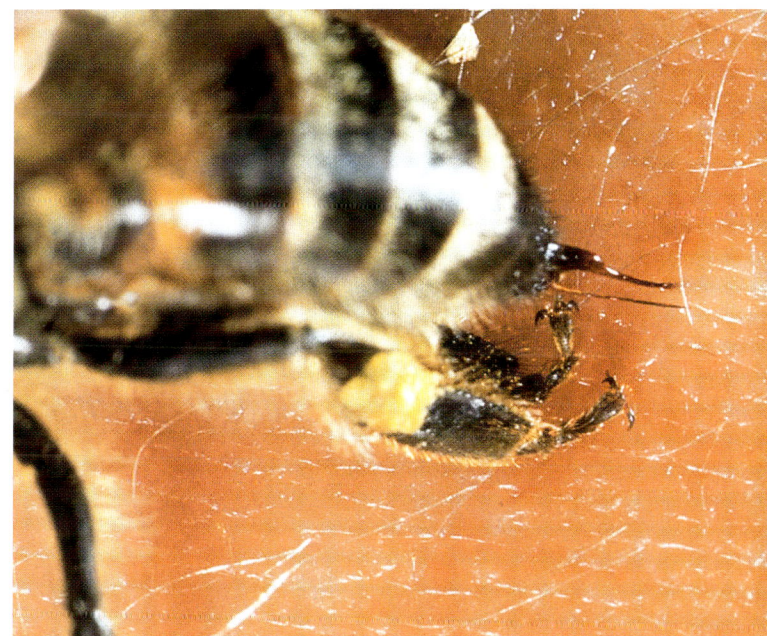

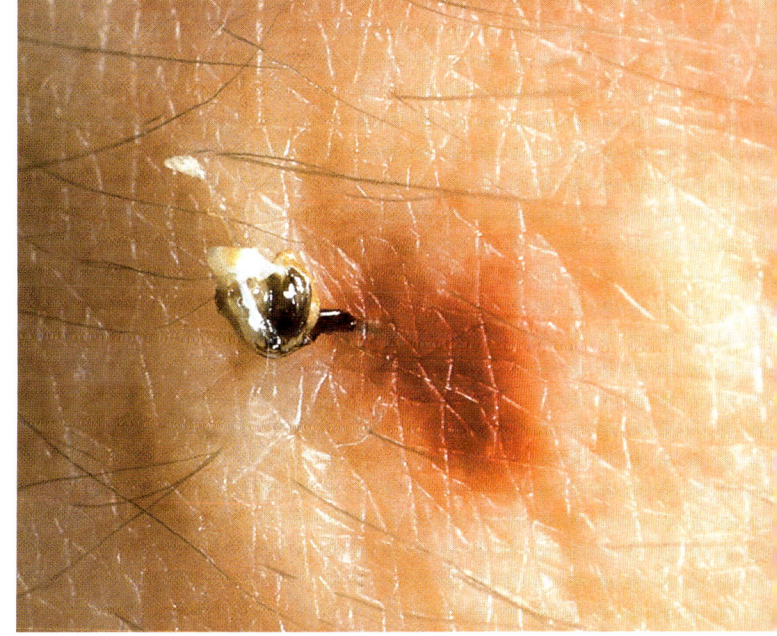

Die Biene kann Feinde abwehren: Sie sticht zu und verpasst ihnen ein Gift. Mit einem Stich werden bis zu 0,13 mg Bienengift eingespritzt. Diese Mengenangabe bezieht sich auf das Trockengewicht.

Abb. 62
Stechende Biene

Abb. 63
Abgerissener Stachel mit Stechapparat
Bei Menschen und Säugetieren mit elastischer Haut bleibt der Stachel mitsamt dem Stechapparat in der Haut hängen. Die Biene stirbt nach 2 bis 3 Tagen.

6 Bienengift – ein belebender und tödlicher Saft

6.1 Bienen produzieren Bienengift

Die Bienen produzieren das Bienengift in den Giftdrüsen ihres Stechapparates. Die Giftproduktion beginnt bei drei Tage alten Bienen und erreicht ihren Höhepunkt bei zwei bis drei Wochen alten Arbeiterinnen. In älteren Bienen ist die Giftproduktion kleiner (→ Band „Biologie", S. 32).

6.2 Bienengift ernten und lagern

Um grössere Mengen Bienengift ernten zu können, muss eine Methode gewählt werden, bei der eine grosse Anzahl Bienen Gift liefern, dabei aber nicht sterben. Dazu eignet sich die Elektroerregung, eine Methode, die 1954 entwickelt wurde (91). Heute werden zur Giftgewinnung verschiedene Apparate angeboten, die alle nach dem gleichen Prinzip funktionieren: Die Bienen laufen über ein Metallgitter und werden dabei durch elektrische Wechselstromstösse gereizt. Sie stechen durch eine Membran, die sich unter dem Metallgitter befindet und spritzen ihr Gift auf eine Glasplatte ab (4, 44, 83, 101, 102, 127).

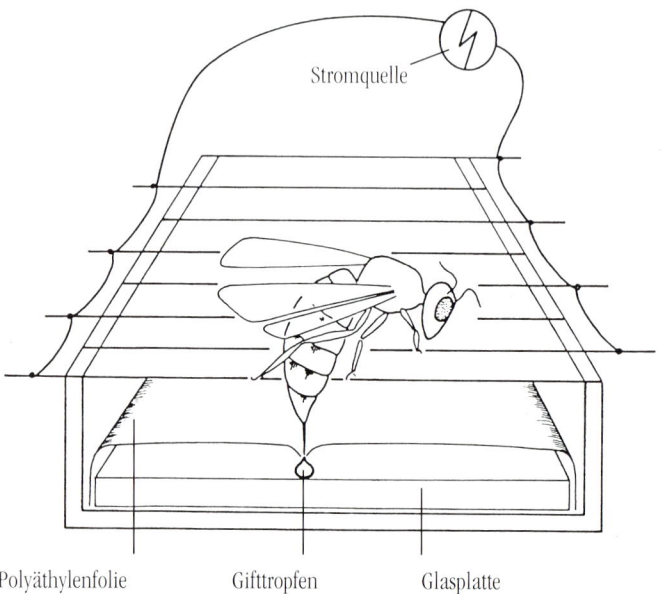

Polyäthylenfolie   Gifttropfen   Glasplatte

Abb. 64
Schematische Darstellung der Bienengiftgewinnung (100)

Die meisten Geräte bestehen aus drei Teilen:
1. Batterie oder Akkumulator (24–30 V)
2. Gerät zum Transformieren von Gleich- zu Wechselstrom, bei dem auch die Impulsfrequenz (50–1000 Hz), die Impulsdauer (2 bis 3 Sekunden) und die Pausen (3 bis 6 Sekunden) eingestellt werden können.
3. Kollektorrahmen, bestehend aus einem elektrischen Drahtnetz, einer dünnen Polyäthylenmembran und einer Glasplatte.

Der Kollektorrahmen kann ausserhalb oder innerhalb des Bienenkastens aufgestellt werden. (110)

Abb. 65
Bienengiftkollektor
Dieser Kollektor wurde schräg an den Bienenkasten, direkt vor das Flugloch gestellt. Heimkehrende Sammlerinnen liessen sich auf dem Drahtnetz des Kollektors nieder. Sie wurden durch elektrische Stromstösse gereizt und alarmierten deshalb ihre Stockgenossinnen, indem sie Alarmpheromone ihrer Giftdrüse ausströmen liessen. Die zur Abwehr „aufgebotenen" Bienen besetzten den Kollektor zahlreich und stachen durch die Membran.

Die Glasplatte wird für einen Tag in ein dunkles und gut belüftetes Zimmer gestellt. Das Bienengift trocknet ein, kann vom Glas abgekratzt und in ein dunkles Glas abgefüllt werden. So kann das Gift einige Tage bei 0–5 °C gelagert werden. Zur optimalen Erhaltung der Qualität während längerer Zeit sind aber Lagertemperaturen von −18 °C notwendig. Das Gift kann auch gefriergetrocknet (lyophylisiert) werden. Luftdicht verschlossen ist es so noch länger haltbar. Lyophylisiertes Bienengift wird in der Regel in der Apitherapie verwendet (→ S. 96).
In der Allergologie und Therapie zur Hyposensibilisierung wird Bienengift meist gereinigt. Für weitere spezielle Anwendungen können einzelne aktive Bestandteile des Bienengifts durch chromatografische Trennverfahren oder durch moderne molekulargenetische Techniken gewonnen werden (40, 99).
Wenn während der ganzen aktiven Saison drei- bis viermal im Monat für jeweils drei Stunden gesammelt wird, können pro Volk bis zu 4 g trockenes Gift geerntet werden. Das entspricht ungefähr 150 mg trockenes Bienengift pro Sammlung und Volk (83).
Die Bienen werden durch die elektrische Stimulierung nicht geschädigt. Ihre Bruttätigkeit und der Honigertrag gehen jedoch um 10–15 % zurück. Eine weniger häufige Sammlung (drei- bis viermal pro Saison) beeinträchtigt die Bienenleistung nicht.
Bienengift wird in erster Linie in Osteuropa, Nord- und Südamerika sowie im Fernen Osten geerntet. Die Erntemengen sind nicht bekannt. In der Schweiz gibt es keine kommerzielle Bienengiftsammlung.

6.3 Was Bienengift enthält und wie es wirkt

Das frisch ausgeschiedene Bienengift ist eine sirupartige, gelbliche, opaleszente Flüssigkeit. Sein Geschmack ist bitter, sein Geruch honigähnlich. Der pH-Wert ist niedrig (zwischen 4,5 und 5,5), das heisst, das Gift ist leicht sauer.

Bienengift ist ein äusserst komplexes Gemisch aus Eiweissen, Zuckern, Fetten und anderen Substanzen. Es enthält zwischen 55 und 70 % Wasser. Die Trockenmasse besteht zu ungefähr 80 % aus Eiweissen (Proteine, Peptide, biogene Amine).

Bienengift wirkt vielfältig und ist das am meisten erforschte und medizinisch überprüfte Bienenprodukt. Es wird sogar innerhalb der Schulmedizin weltweit als Heilmittel anerkannt. Bienengift oder seine Komponenten werden in der Apitherapie, in der Allergologie und in der experimentellen Biologie verwendet (6, 75) (→ S. 98).

Bienengift, insbesondere seine Einzelkomponenten, können bei grösserer Dosierung unerwünschte Nebenwirkungen hervorrufen. Nebenwirkungen rufen die Einzelkomponenten dann hervor, wenn sie in 20- bis 50facher Überdosis eingesetzt werden. Bienengift hingegen wirkt erst ab einer 200- bis 500fachen Überdosis giftig (128).

Inhaltsstoffe des trockenen Bienengiftes — Tab. 15

Substanz	Menge in %	Substanz	Menge in %
Proteine		*Biogene Amine*	
Phospholipase A₂	10–12	Histamin	0,5–2
Hyaluronidase	1–3	Dopamin	0,2–1
Phosphatase, Glucosidase	1–2	Noradrenalin	0,1–0,5
Peptide		*Zucker* (Glucose, Fructose)	2
Melittin	50–55	*Phospholipide*	5
Secapin, MCD-Peptid	1,5–4	*Aminosäuren*	
Tertiapamin, Apamin,		*Flüchtliche Substanzen*	
Procamin	2–5	(Pheromone)	4–8
Andere kleine Peptide	13–15	*Mineralstoffe*	3–4

nach (45, 75)

Tab. 16   **Biologische Wirkung des Bienengiftes**

Komponente	Wirkung
Adolapin	entzündungshemmend, antirheumatisch, schmerzlindernd
Alarmpheromone	lösen Alarmbereitschaft des Bienenvolkes aus
Apamin	biologisch aktives Peptid; Nervengift, stimuliert die Freisetzung von körpereigenem Cortison und wirkt entzündungshemmend, erhöht die Abwehrbereitschaft, Immunosupressor
Dopamin, Noradrenalin	Neurotransmitter, die vielfältig auf Verhalten und Physiologie wirken
Hyaluronidase	Enzym; ermöglicht das weitere Eindringen des Giftes ins Gewebe; erweitert die Blutgefässe und erhöht ihre Durchlässigkeit, so dass es zur vermehrten Durchblutung kommt; ist allergen
MCD (mast cell degranulating-)Peptid	wirkt ähnlich wie Apamin, setzt biogene Amine aus Mastzellen frei und verursacht Schmerzen
Melittin	wichtigster Wirkstoff; biologisch aktives Peptid; wirkt giftig auf Zellen, löst z. B. rote Blutkörperchen auf; hohe Dosen lösen Entzündung, Schmerz und Bronchospasmen aus, kleine Dosen dagegen sind entzündungshemmend; senkt Blutdruck und Blutgerinnung, wirkt antibakteriell, Immunosupressor, strahlenschützend, wirkt auf Zentralnervensystem
Phospholipase A	Enzym; zerstört Phospholipide und löst dadurch die Zellmembran der Blutkörperchen auf, senkt Blutgerinnung und Blutdruck, stärkstes Allergen und deshalb schädlichster Bestandteil des Bienengifts
Protease-Hemmer	unterdrücken die Aktivität verschiedener Eiweiss abbauender Enzyme (=Proteasen), wirken entzündungshemmend und blutstillend
saure Phosphatase	ein Phosphat abspaltendes Enzym, das allergen ist
komplettes Bienengift	therapeutischer Einsatzbereich ist viel grösser als jener der Einzelkomponenten; zeigt Wirkungen, die nicht auf die Einzelkomponenten zurückgeführt werden können: regt Herztätigkeit an, vermindert die Atmung, hemmt die Gefässhyaluronidase, vermindert die Wirkung von Substanzen, die toxische Entzündungen auslösen, reduziert den Cholesterinspiegel

nach (40, 75)

Bienengift – ein belebender und tödlicher Saft

6.4 Qualität von Bienengift

Für eine optimale Qualität des Bienengifts ist Folgendes wichtig:
- richtige Ernte und Lagerung
- keine Verunreinigungen durch Pollen, Honig, Kot

Produktions- und Pharmabetriebe richten sich nach gewissen Normen, die jedoch noch nicht international anerkannt sind.

Qualitätskriterien für Bienengift — Tab. 17

	Anforderung
organoleptische Eigenschaften (Geruch, Geschmack, Aussehen)	typisch
Extinktion (Lichtbrechung)	kleiner als 0,55 bei 420 nm, 2% Giftlösung
Wassergehalt	kleiner als 2%
wasserunlösliche Substanzen	kleiner als 0,8%
Zucker	kleiner als 6,5%
biologische Aktivität von Hyaluronidase, Phospholipase, Melittin, Protease-Hemmer	erfüllt
Radioimmunotests	erfüllt
Toxizität	LD50 = 3,7 ± 0,6 mg/kg Körpergewicht*

* LD50 = letale Dosis, bei der nach intravenöser Einspritzung 50 % der Mäuse sterben

nach (75, 100)

6.5 Reaktion auf Bienenstiche und Bienengiftallergie

Die auffallendste Wirkung des Bienengifts für den Menschen ist die schmerzhafte Entzündung, die nach einem Bienenstich auftreten kann. Eine grosse Gefahr besteht für Kinder ab 50 Stichen und für Erwachsene ab 100 bis 500 Stichen. In solchen Fällen müssen die Patienten hospitalisiert werden. Vor Haftpflichtansprüchen bei Bienenstichen schützt sich der Bienenhalter durch die im Abonnement der Schweizerischen Bienen-Zeitung eingeschlossene Haftpflichtversicherung.

Stiche an Auge und Mund
Stiche ins Auge, in Augennähe oder an der Schläfe können gefährlich sein und erfordern deshalb sofortige ärztliche Hilfe. Zur Sofortbehandlung spült man das Auge mit reichlich kaltem, klarem Wasser aus, bis der Schmerz nachlässt.
Besonders gefährlich sind Stiche in die Zunge oder in den Schlund. Wegen der raschen Anschwellung der Schleimhaut droht in kurzer Zeit Erstickungstod. Der Notarzt muss unverzüglich herbeigerufen werden. Bis zu seinem Eintreffen lutscht man Eiswürfel oder trinkt schluckweise eisgekühlte Getränke, damit sich die Schwellung nicht zu rasch ausbreitet.

Bienengiftallergie
Besonders gefährlich sind Bienenstiche für allergisch reagierende Personen. Ungefähr 5 % der schweizerischen Bevölkerung reagieren allergisch auf Bienen-, Wespen-, Hornissen- oder Hummelstiche (100). Es gibt verschiedene Schweregrade der allergischen Reaktion. Im Extremfall führt ein Bienenstich zum Tod. Im Durchschnitt sterben in der Schweiz jährlich 1 bis 2 Personen an den Folgen eines Bienen- oder Wespenstichs (118).
Imker sind Bienenstichen besonders ausgesetzt. Die Entwicklung einer Bienengiftallergie bei Imkern ist wahrscheinlicher, wenn sie weniger häufig gestochen werden.

Was tun nach einem Bienenstich?
Normalerweise treten nach einem Bienenstich nur starke Schwellungen an der Einstichstelle auf. Diese können sofort durch einfache Massnahmen behandelt werden.

Erste Hilfe bei Bienenstichen
Stachel entfernen: Wenn die Biene einen Menschen gestochen hat, bleibt ihr Stachel mit der Giftblase in der Haut stecken. Er muss als Erstes entfernt werden. Dazu wird der Stachel seitlich mit dem Fingernagel herausgewischt. Nie mit beiden Fingern anfassen, damit sich die Giftblase nicht vollends ins Gewebe entleert.
Kühlen: Danach kühlt man die brennende, juckende und schmerzende Einstichstelle durch kalte Umschläge mit Wasser oder Speichel, mit Essigwasser (1 Teil Essig auf 2 Teile Wasser), „Coldpacks", Eiswürfeln, einem Kältespray oder Alkohol. Das Auflegen von frischen Zwiebelscheiben oder das Auftragen von Propolistinktur oder einer Insektenstichsalbe kann helfen. Die betroffene Körperstelle ruhig stellen und wenn möglich hoch lagern.
Arztbesuch: Treten grössere Schwellungen, stärkere Schmerzen oder in den Tagen danach rote Streifen unter der Haut auf, muss der Arzt aufgesucht werden. Normalerweise lassen die Beschwerden innert 1 bis 3 Tagen nach und der Einstich heilt schnell. (100)

Bienengift – ein belebender und tödlicher Saft

Notfalltherapie bei Bienengiftallergikern
- Nach Bienenstichen sofort Tabletten, die der Arzt verordnet hat, einnehmen.
- Adrenalin (z. B. Epipen) bereitstellen und bei Eintreten von allgemeinen Reaktionen wie Rötung, rote Schwellungen, Juckreiz, Schüttelfrost, Erbrechen, Übelkeit oder Atemnot sofort intramuskulär oder subkutan spritzen.
- Der Notarzt muss beim geringsten Verdacht auf eine „allgemeine Reaktion" sofort gerufen werden, um Komplikationen, im Extremfall auch einen tödlichen Ausgang, zu verhüten.
- Als Soforthilfe bis zur fachlichen Behandlung wird der Schockpatient flach gelagert und warm zugedeckt. Tritt ein Herz- und Atemstillstand ein, muss Mund-zu-Mund-Beatmung und Herzmassage bis zum Eintreffen des Arztes durchgeführt werden – aber nur von Personen, die dies in einem Erste-Hilfe-Kurs gelernt haben. Alle weiteren Massnahmen ergreift der Notarzt.

(100, 113)

Imker mit mehr als 200 Stichen jährlich entwickeln praktisch nie eine Allergie (41).
Bei den allergischen Reaktionen gegen Bienenstiche unterscheidet man zwischen schweren Lokalreaktionen und Allgemeinreaktionen:

Schwere Lokalreaktionen: Bei einem Stich bleibt die Rötung nicht lokal, sondern dehnt sich aus oder erfasst ganze Extremitäten. Diese Schwellungen können sehr schmerzhaft sein und längere Zeit andauern (mehr als 24 Stunden).

Allgemeine Reaktionen: Die ersten Symptome treten meist wenige Minuten nach dem Stich auf. Die Hauptsymptome sind Rötung und Juckreiz. Sie können von Schüttelfrost, Erbrechen, Übelkeit, Atemnot sowie starken Schwellungen im Gesicht begleitet sein. Schlimmstenfalls droht der akute lebensgefährliche Zusammenbruch des Kreislaufs, der anaphylaktische Schock.

Alle Bienengiftallergiker müssen mit Notfallmedikamenten ausgerüstet sein, die ihnen der Arzt zusammengestellt hat. Läuft die allergische Reaktion nicht ganz so schnell ab, so kann ein Arzt aufgesucht werden. Andernfalls muss ein Medikament mit raschem Wirkungseintritt sofort verabreicht werden.

Hypo- oder Desensibilisierung
Personen mit Bienengiftallergie können sich gegen das Gift hyposensibilisieren lassen. An allen Universitätsspitälern der Schweiz kann eine Desensibilisierung durchgeführt werden. Führend auf dem Gebiet der Desensibilisierung gegen Insektenstiche ist die Medizinische Klinik des Ziegler Spitals, Bern. Der Erfolg einer Desensibilisierung gegen Bienengift liegt bei 80 %, während er bei der Wespengiftallergie ungefähr 95 % beträgt (113). Die Durchführung einer sicheren Desensibilisierung erstreckt sich über 3 bis 5 Jahre. Allergischen Imkern ist eine Desensibilisierung unbedingt zu empfehlen. Imker zeigten einen besseren Desensibilisierungserfolg als Nicht-Imker (41). Ältere, allergische Personen sind bei Bienenstichen besonders gefährdet und sollen sich unbedingt desensibilisieren lassen.

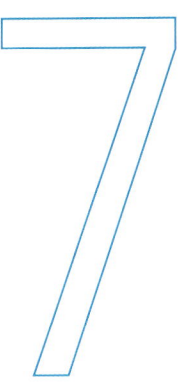

7 Apitherapie

Kathrin Rieder
Annette Matzke

Alle Bienenprodukte besitzen Heilkräfte. Seit ältesten Zeiten werden sie zur Behandlung verschiedener Erkrankungen eingesetzt oder als Schutz vor Krankheiten (präventiv) eingenommen. In letzter Zeit hat das Interesse an Behandlungen mit Bienenprodukten stark zugenommen. Verschiedene wissenschaftliche Institute und Heilanstalten – vor allem in Osteuropa und China – haben sich die Aufgabe gestellt, die seit Jahrtausenden von der Volksmedizin verwendeten Bienenprodukte auf wissenschaftlich fundierte Grundlagen zu stellen. Dieser neue Zweig der modernen Medizin wird *Apitherapie* genannt.
Der Heilungserfolg der Bienenprodukte beruht nicht allein auf einzelnen aktiven Substanzen, sondern auf deren Zusammenwirken.

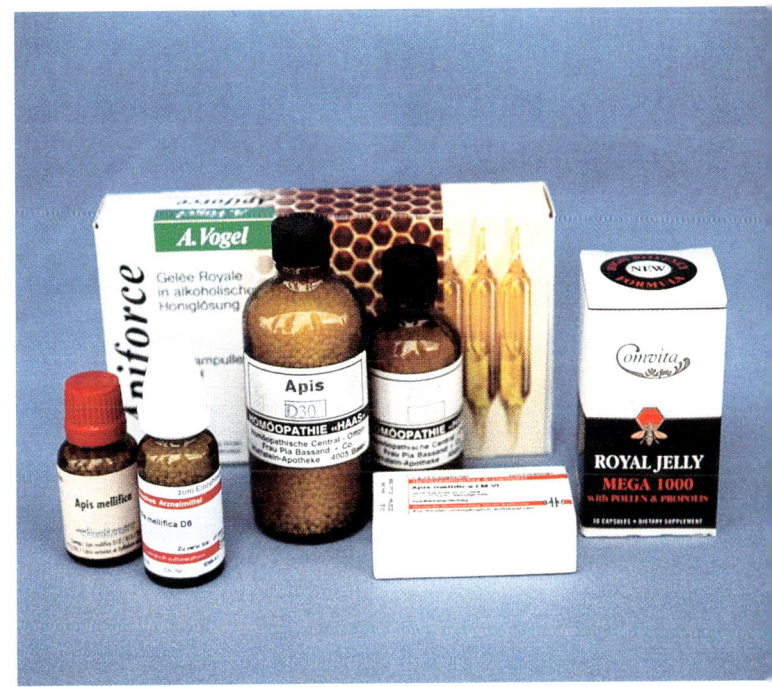

Abb. 66
Apitherapeutische Produkte

7 Apitherapie

Gesetzliche Vorschriften

Honig, Pollen und Gelée Royale gelten als Lebensmittel. Deshalb sind Heil- und Gesundheitsanpreisungen auf der Etikette dieser Produkte verboten. Wer Propolis oder Bienengift als Heilmittel verkaufen möchte, sollte sich bei den zuständigen Stellen über die Zulassungsbedingungen erkundigen (Interkantonale Kontrollstelle für Heilmittel, Fachstelle Heilmittel des Bundesamtes für Gesundheit).

Hinweis für Selbstanwender

Für die Selbstanwendung der in diesem Kapitel aufgeführten Rezepte übernehmen wir keine Haftung.

Wir empfehlen, Bienenprodukte aus Imkereien zu beziehen, deren Völker mit Medikamenten behandelt werden, die in Honig, Wachs und Propolis *keine schädlichen Rückstände* hinterlassen.

7.1 Heilender Honig

Wunden

Honig ist ein uraltes, in Vergessenheit geratenes Naturheilmittel für die Wundbehandlung. Doch gibt es auch in neuster Zeit Ärzte, die mit Hilfe des Honigs Wunden (Verbrennungen, Frostbeulen, Kriegsverletzungen) behandeln.

Honig bewirkt einen raschen Rückgang des Wundödems (Wasseransammlung im Gewebe), stimuliert die Bildung von neuem Bindegewebe und reinigt die Wunde von abgestorbenen Zellen und Bakterien (23, 26, 190).

Honig heilt Wunden sogar besser und schneller als konventionelle Medikamente. Selbst jahrelang offene, eitrige Wunden können erfolgreich behandelt werden. Blütenhonig ist dabei etwas milder als Waldhonig. Die Wundbehandlung mit Honig kann selbst oder ambulant durchgeführt werden, was finanziell vorteilhaft ist.

So wirds gemacht

1. Es ist nicht nötig, die Wunde vorher zu desinfizieren, da der Honig selbst desinfiziert.
2. Auf eine Gaze oder ein sauberes Baumwolltuch wird so viel Honig aufgetragen, dass sich die Wunde vollständig mit Honig abdecken und füllen lässt. Es macht nichts, wenn Honig auf die Haut kommt. Die Gaze muss nicht steril sein.
3. Der Verband wird einmal täglich gewechselt.
4. Beim Wechsel des Honigverbandes braucht die Wunde nicht vom Honig gereinigt zu werden, da sich dieser auflöst oder an der Gaze haften bleibt (feuchter Verband).
5. Bei jedem Verbandwechsel werden die Verhornungen am Wundrand sowie das sich lösende Material in der Wunde mit einer Pinzette entfernt. Man kann dies auch gut unter fliessendem Wasser mit einer weichen Zahnbürste tun (z. B. beim Duschen). Nicht entfernte, abgestorbene Zelltrümmer würden den Heilungsprozess stören.
6. Nach der Reinigung wird die Wunde wieder mit einem Honigverband zugedeckt. Wichtig: Die Wunde muss mit sehr viel Gaze gepolstert werden, damit die Wundflüssigkeit aufgesogen wird.
7. Für Wunden, die mit Pilzen infiziert sind und schlecht heilen, empfiehlt sich eine Honig-Bethadin-Mischung (Mischverhältnis 1:1).

Es kann vorkommen, dass durch die hohe Zuckerkonzentration in der Wunde am Anfang, 10 bis 20 Minuten lang, ein leichtes Ziehen oder leichte Schmerzen spürbar werden. Durch die Verdünnung mit dem Wundwasser verschwinden diese Symptome.

Eine lokale Schmerztherapie mit Lidocain in 1–2%iger Konzentration kann in einigen Fällen, zum Beispiel beim venösen Ulcus (offenes Bein), hilfreich sein.
Grössere Wunden sollten von einem Arzt oder einer (Gemeinde-)Krankenschwester versorgt werden, damit mögliche Komplikationen frühzeitig erkannt werden.

Fall 1

Abb. 67
Eine aufgeweichte, stark mit Bakterien belegte und schmerzende Wunde am linken Bein. Geschichte: Durch einen Unfall wurde der linke Fuss schwer verletzt. Der Knochenbruch wurde mit Platten und Schrauben zusammengefügt. Die Operationen beeinträchtigten die Sensibilität und Durchblutung des Beines stark. Deshalb hatte der Patient öfter einen Dekubitus (= Durchblutungsstörung, entsteht durch Druckstellen, z. B. bei langem Liegen). Die sich über mehrere Monate hinziehende, klassische Wundbehandlung brachte keine Besserung. Der Patient, ein Imker, wollte eine Wundbehandlung mit Honig versuchen.

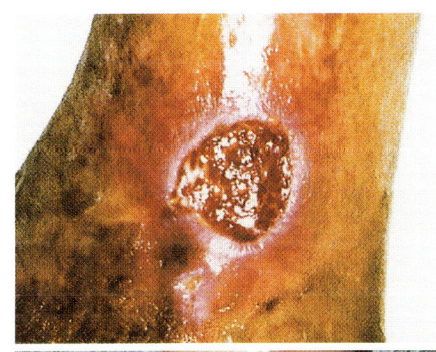

Abb. 68
Schon nach fünf Tagen Wundbehandlung mit Honig trat eine deutliche Besserung ein. Neues Gewebe hatte sich gebildet und die Bakterien verminderten sich. Die Wundränder grenzten sich klar vom gesunden Gewebe ab.

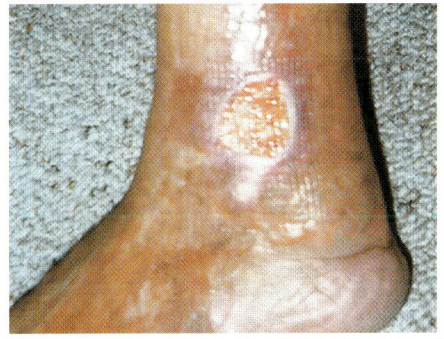

Abb. 69
Nach zweieinhalb Monaten war die Wunde verschlossen. Das Narbengewebe war kaum zu erkennen, so zart und elastisch war es.

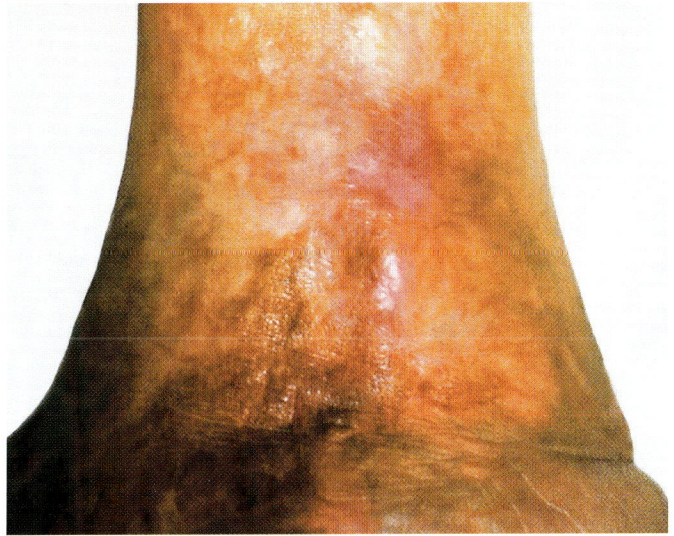

7 Apitherapie

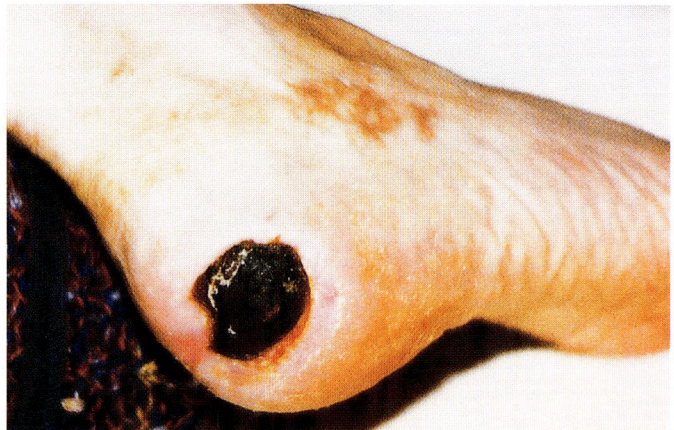

Fall 2

Abb. 70
Eine achtzigjährige Frau litt unter einer grossen, sehr harten, etwa 1 cm dicken, eitrigen Nekrose (= abgestorbenes Gewebe). Eine medikamentöse, lokale Behandlung während sechs Monaten blieb erfolglos.

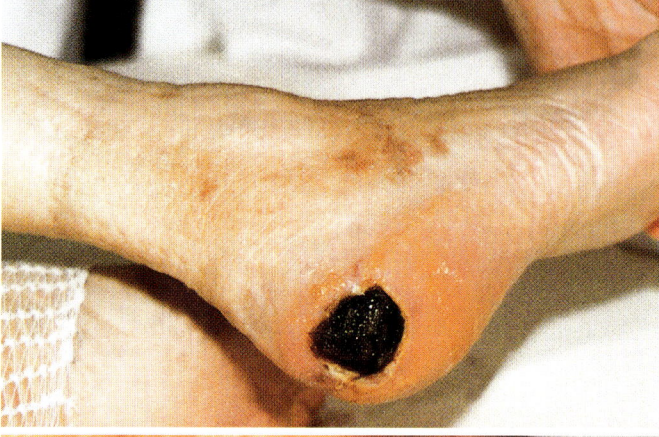

Abb. 71
Schon nach zwei Wochen löste der Honig die Nekrose vom Rande her, so dass die Ärztin kleine Nekrose-Stücke abschneiden konnte.

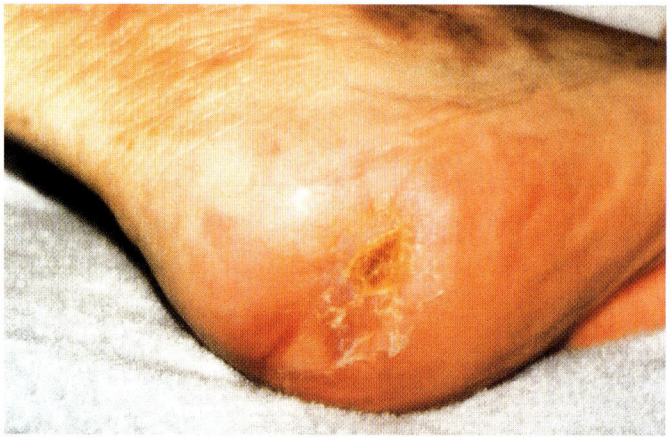

Abb. 72
Drei Monate später war die Wunde verschlossen. Nachdem ein letztes grosses Stück der Nekrose entfernt werden konnte, kam die Wirkung des Honigs erst richtig zur Geltung. (Es ist deshalb wichtig, nekrotisches Gewebe zu entfernen, damit die Wundheilung mit Honig nicht beeinträchtigt wird.)

Infektion

Eine Infektion entsteht, wenn die Haut verletzt wird und die körpereigene Abwehr geschwächt oder die Durchblutung nicht mehr gewährleistet ist. Innerhalb weniger Stunden nisten sich Bakterien in der Wunde ein und vermehren sich. Die Bakterien brauchen Wasser, Zelltrümmer und Wärme, um zu überleben und um sich zu vermehren. Der Eiter ist das Abfallprodukt der Bakterien.

Heilwirkung

Entscheidend für die Wirkung des Honigs sind der hohe Zuckergehalt, der niedrige pH-Wert und die Inhibine (→ S. 28). Honig hemmt nachweislich das Wachstum von Bakterien und Hefen:

1. Die verschiedenen Zuckerarten im Honig entziehen den Bakterien das Wasser. Die Bakterien zerplatzen und können sich nicht mehr vermehren.
2. Der Wasserentzug bewirkt einen Sog von der Wunde in die Gaze, dadurch werden abgestorbene Zelltrümmer aus der Wunde weggespült.
3. Durch diesen Sog werden die Durchblutung und die Lymphtätigkeit angeregt. Das erleichtert die Arbeit des Immunsystems, die Beseitigung von Abfallstoffen und Bakterien.
4. Das keimfeindliche Enzym im Honig wird in der Wunde aktiv: Glucose-Oxidase baut Glucose um. Dabei entsteht das bakterizide Wasserstoffperoxid.
5. Im leicht säuerlichen Honig (niedriger pH-Wert) können nur wenige Eiterbakterien überleben. (26, 94, 109)

Nachteile

Obwohl Honig keimhemmend wirkt, ist er nicht steril. Daher ist es wichtig, dass Honigverbände täglich gewechselt werden und die Wunde jedes Mal gereinigt wird.

Hals, Magen und Darm

Honig besitzt schnell verfügbare Energie in Form von Traubenzucker (Glucose) und Fruchtzucker (Fructose). Zudem enthält er Vitamine, Mineralstoffe, Säuren, Flavonoide und Wasserstoffperoxid (→ S. 23). Aufgrund dieser Zusammensetzung wird Honig in erster Linie als Stärkungsmittel (präventiv) eingenommen. Er wird zudem auch als Heilmittel für einige Krankheiten empfohlen.
Honig kann helfen bei

– Erkältungen (Nasen-, Hals-, Bronchien-Katarrh)
– Störungen und Entzündungen des Magen-Darm-Traktes
– Entzündungen und Geschwüren im Magen-Darm-Trakt, die durch das Bakterium *Helicobacter pylori* hervorgerufen werden
– allergischen Reaktionen auf Pollen
– einer unbefriedigenden Herztätigkeit (Acetylcholin soll helfen)
– Mangelernährung von Kindern
– Verstopfung bei Kleinkindern

(68, 95, 110a, 111a)

Vieles ist noch ungeklärt und widersprüchlich

Honig hemmt das Wachstum vieler krankmachender Bakterien, heilt Wunden, Geschwüre und Entzündungen und hilft auch bei Halsschmerzen. Es bleibt aber noch ungeklärt, ob Honig auch innerlich desinfizierend wirkt, zum Beispiel bei Bronchialerkrankungen oder Darmentzündungen (62).

Es wird oft empfohlen, Pollenallergien mit Honig zu lindern oder zu heilen. Dies ist aber nicht unbedingt Erfolg versprechend. (64)

Apitherapie

7.2 Starker Pollen

Pollen baut auf

Pollen weist einen hohen Gehalt an Eiweiss, lebenswichtigen Fettsäuren, einigen Vitaminen (insbesondere Folsäure), Mineralstoffen und Nahrungsfasern auf (→ S. 47). Deshalb ist Pollen ein gutes Nahrungsergänzungsmittel, besonders, wenn die Nährstoffzufuhr ungenügend ist, zum Beispiel bei Unterernährung als Folge von chronischen Krankheiten wie Darmentzündungen, Durchfall oder Verstopfung, Krebs (76, 110b, 111b, 131a).

In der Schwangerschaft, beim Spitzensport oder allgemein bei Stress steigt der Bedarf an Nährstoffen, Vitaminen und Mineralstoffen teilweise enorm an. Pollen kann, zusammen mit einer ausgewogenen Ernährung, diesen zusätzlichen Bedarf abdecken (25, 76).

Pollen heilt

Pollen enthält Flavonoide und Sterine (Phytoöstrogene und Phytosterine) (→ S. 48), die vermutlich heilend wirken (25, 29).

Pollen wirkt antibakteriell

Die Flavonoide im Pollen hemmen das Bakterienwachstum. Aus diesem Grund wird Pollen bei Darminfektionen und bei einem Ungleichgewicht der Darmflora empfohlen (111b). Er kann aber Antibiotika in ernsten Fällen nicht ersetzen.

Es scheint, dass nicht alle Pollenarten gleich stark antibiotisch wirken, und zwar in folgender absteigenden Reihenfolge: Maispollen, Edelkastanienpollen, Löwenzahnpollen, Inkarnatkleepollen, Zistenrosenpollen, Erikapollen (31).

Pollen lindert Prostatitis

Eine Prostataentzündung (Schmerz, Fieber, Harnsperre) kann durch die Einnahme von Pollen gelindert werden (76). Vermutlich spielen hier die im Pollen enthaltenen Phytoöstrogene eine Rolle (→ S. 49). Die regelmässige, langfristige Einnahme von Pollen wird zur Prävention von Prostatitis empfohlen.

Pollen hilft bei Pollenallergie (Heuschnupfen)

Mit der regelmässigen, langfristigen Einnahme von kleinen Pollenmengen können Pollenallergiker versuchen, sich zu desensibilisieren. Es wurde jedoch nicht bei allen Personen eine Verbesserung beobachtet (76, 93).

So wird Pollen eingenommen

Frischen oder getrockneten Pollen gut kauen und mit Wasser, Milch oder Saft schlucken. Pollen sollte 1 Stunde vor dem Essen eingenommen werden, damit die Inhaltsstoffe besser aufgenommen werden. Pollen, dessen Wand mechanisch oder enzymatisch aufgeschlossen wurde, ist besser verwertbar (→ S. 50).

Dosierung

Erwachsene	30–40 mg/Tag
3–5-jährige Kinder	5–10 mg/Tag
6–12-jährige Kinder	10–15 mg/Tag

Behandlungsdauer

Nicht kürzer als 1 bis 2 Monate (110b)
(1 Kaffeelöffel = 5 g, 1 Dessertlöffel = 10 g, 1 Esslöffel = 15 g)

7.3 Schützende Propolis

Neueste Erkenntnisse über die Anwendung von Propolis bei Infektionen kommen aus osteuropäischen Staaten. Propolis ist therapeutisch nutzbar, weil sie das Wachstum von Bakterien, Pilzen und Viren hemmt (90), scheinbar ohne Resistenzen zu erzeugen (110c), und die Durchblutung fördert (→ S. 70). Deshalb kann Propolis bei der Wundbehandlung, bei Entzündungen und bei Schmerzen eingesetzt werden (97, 110c). Die vielfältigen Wirkungen von Propolis lassen sich zwar noch nicht alle erklären, werden aber durch Erfahrungen und durch klinische Untersuchungen bestätigt (90, 97, 145).

Unverträglichkeitstest
Nicht jeder Mensch verträgt Propolis. Ein Test schafft Klarheit:
– Propolistinktur auf eine kleine Stelle am Innenarm streichen
– ungefähr während 10 Stunden Reaktion abwarten
– juckt die Haut und ist sie gerötet, aufgeschwollen oder schuppig, sollte Propolis nicht angewendet werden.

Regelmässige, lang andauernde Propolisbehandlungen können Allergien auslösen. In diesen Fällen muss die Behandlung abgebrochen werden. Die betroffene Person hat nun eine Kontaktallergie, die weitere Propolisbehandlungen ausschliesst (1).

Wann Propolis helfen kann

Äusserlich
V = verdünnt: 10–20 Tropfen in 1 dl Wasser
S – Salbe
T – Tinktur

– Verbrennungen, Dekubitus, Schürfwunden (T, S)
– Akne, Furunkel (S)
– Mandelentzündung (gurgeln, V, T)
– Vorbeugung von Entzündungen durch Hämorrhoiden (After nach jedem Stuhlgang mit Kamillentee, der einige Tropfen Propolistinktur enthält, reinigen)
– Linderung der Schuppenflechte (Psoriasis) (S)
– rheumatische Beschwerden (S)
– entzündetes Zahnfleisch (Zahnfleisch mit Propolistinktur einreiben)
– Entzündungen und Pilzerkrankungen der Haut (S) und der Schleimhaut von Mund, Rachen, Ohr (T: Wattestäbchen mit Tinktur tränken und das Ohr damit ausputzen)
– Infektion mit Herpes-Viren (S, T)

Innerlich
– Stärkung des Immunsystems
– Förderung der Heilung einer Hepatitis
– Nieren-Blasen-Entzündung
– Darminfektionen, Magengeschwüre, Leber-Gallen-Leiden, ergänzend zur üblichen Diät und zur ärztlichen Behandlung von Lebensmittelvergiftungen

Anwendungsform
20%ige Tinktur verwenden, je nach Anwendungsort gurgeln, einmassieren oder auftragen

Dosierung Erwachsene: 2–3 x täglich 10–20 Tropfen Propolistinktur (20%) eine Stunde vor dem Essen

Dosierung Kinder: 3 x täglich 5–10 Tropfen Propolistinktur (20%) (1)

Propolisprodukte selber machen
Die folgenden Rezepte sind für den Hausgebrauch. Für gewerbliche Zwecke müssen gesetzliche Auflagen erfüllt sein (Bundesamt für Gesundheit, Interkantonale Kontrollstelle für Heilmittel). Propolis muss frei von Bienenbehandlungs- und Wabenschutzmitteln sein.

Propolistinktur

100 g saubere Propolis in kleine Stücke brechen, in 400 g 60–80%igen Alkohol einlegen und dunkel stellen. Dieses Gemisch ist eine 20%ige Lösung von Propolis. Inhalt 1- bis 2-mal täglich schütteln und nach 14 Tagen durch Filterpapier filtrieren (→ S. 68).

Propolissalbe mit Propolistinktur

50 ml Sonnenblumenöl, Rapsöl oder Olivenöl, 8 g Bienenwachs und 10 bis 20 Tropfen Propolistinktur in ein Gefäss füllen und im Wasserbad erwärmen, bis das Wachs aufgelöst ist. Danach Gefäss ins kalte Wasser stellen und unter ständigem Rühren die Masse erkalten lassen. So entsteht eine sehr cremige Propolissalbe. Diese Salbe sollte zur besseren Haltbarkeit im Kühlschrank gelagert werden.

Propolissalbe mit Rohpropolis

Tiefgekühlte Propolis (10–20 g) mörsern und in eine Salbengrundmasse (100 g) einarbeiten. Als Salbengrundmasse kann Honig, Butter, Margarine, Vaseline u. a. verwendet werden (110c).

Propolispräparate sind rezeptfrei in Apotheken, Reformhäusern, Drogerien oder Imkereifachgeschäften erhältlich – als Tinktur, Pulver, Creme, Salbe, Brausepulver oder Dragée.

7.4 Belebender Gelée Royale

Als Therapeutikum wird Gelée Royale vor allem in Ostasien eingesetzt. Da Gelée Royale mehr Vitamine der B-Gruppe und mehr Mineralstoffe enthält als Honig, könnte er als Nahrungsergänzung dienen, wenn die Versorgung mit diesen Vitaminen ungenügend ist. Zudem besitzt Gelée Royale eine Fettsäure mit keimhemmender Wirkung (10-Hydroxy-2-decensäure) und Biopterin, die heilend wirken könnten. Biopterin ist am Bildungsprozess von Botenstoffen im Gehirn und bei der Regulation von Wachstum und Zelldifferenzierung beteiligt (→ S. 76).

Indikationen

Gelée Royale wird empfohlen
- bei Blutarmut
- bei Appetitlosigkeit bei Kindern
- bei chronischen Verdauungsstörungen
- zur Verbesserung von Gedächtnis und Konzentration
- zur Harmonisierung des vegetativen Nervensystems
- zur Stärkung des Herz-Kreislauf-Systems
- zur Normalisierung des Hormonhaushaltes
- zur Anregung der sexuellen Funktion
- zur Leistungssteigerung für Sport und Alltag
- zur innerlichen und äusserlichen Hautpflege
- zur Förderung der Zellteilung („Geheimwaffe gegen das Altern")

(38, 110d)

Kontraindikationen
- Unverträglichkeit von Gelée Royale
- Addison'sche Krankheit
- Neoplastische Erkrankungen

(111d)

Gelée Royale gibt es in Apotheken, Drogerien, Reformhäusern und Imkereifachgeschäften. Er wird in Kapseln, Trinkampullen oder kleinen Döschen sowie als Bestandteil von Salben und Kosmetika angeboten.

7.5 Pflegendes Bienenwachs

Für Haut und Haar
Bienenwachs ist Bestandteil von Salben, Lotionen, Shampoos und Lippenstiften. Es ist hautfreundlich, schützt Haut und Haare gegen Umwelteinflüsse, verbessert die Elastizität der Haut und gibt ihr ein frisches und glattes Aussehen (110e).

Bienenwachs wirkt antibiotisch und ist deshalb Bestandteil verschiedener Heilsalben. (84)

Mit Hilfe einer Salbe aus erwärmtem Wachs und Sonnenblumenöl (Mischverhältnis 1 : 1 oder 1 : 2) können rissige Fersen behandelt werden (110e).

Wachsqualität beachten
Für Pflege- und Heilsalben sollte nur Bienenwachs von Bienenvölkern verwendet werden, die nicht mit Akariziden behandelt wurden (→ S. 59).

Bienenwachs wärmt
Bienenwachs vermag Wärme weiterzugeben. Erwärmtes Wachs, das auf erkrankte Körperstellen gelegt wird, erwärmt diese und regt die örtliche Durchblutung an. Dadurch wird das Gewebe besser ernährt, Entzündungs- und Abfallstoffe können besser abgetragen werden. Die Wärmebehandlung eignet sich bei Entzündungen von Muskeln, Nerven, Sehnenscheiden und Gelenken sowie bei Bronchialkatarrh (111e).

Abb. 73
Wachsauflage machen
Zum Warmhalten bei Bronchitis, Bronchialkatarrh, Reizhusten und schmerzenden Gelenken gibt es so genannte Bienenwachsauflagen. Dies sind weiche Baumwolltücher, zum Beispiel Windelstoffe, die in reines, flüssiges Bienenwachs getaucht wurden. Die kalte, steife Wachsauflage wird vor dem Auflegen auf einem Heizkörper oder zwischen Wärmeflaschen etwas erwärmt und dadurch geschmeidig gemacht. Sie wird über Nacht direkt auf die Haut aufgelegt und mit einem Wolltuch zugedeckt. Damit die Auflage nicht verrutscht, kann sie mit breiten Bändern festgebunden werden.

Vereinte Kräfte im Wabenhonig

Das Kauen von Wabenhonig scheint bei Pollenallergie und Bronchialasthma sowie bei Entzündungen im Mund- und Rachenraum, bei Zahnfleischentzündungen und -schwund, ja sogar bei Entzündungen der Nasennebenhöhlen nützlich zu sein. Diese Erfahrungen konnten bisher nicht wissenschaftlich bestätigt und geklärt werden. Beim Verzehr von Wabenhonig kommen Inhaltsstoffe von Wachs und Honig gemeinsam zur Wirkung, was möglicherweise bei der Linderung von Entzündungen vorteilhaft ist.

7.6 Heilsames Bienengift

In richtig dosierten Mengen und zielgerichtet verabreicht, kann Bienengift hilfreich sein. Bienengiftbehandlungen (Injektionen) müssen durch einen Therapeuten durchgeführt werden, um schädliche Nebenwirkungen zu vermeiden und um im Notfall die richtigen Massnahmen ergreifen zu können (110f). Einfach anzuwenden ist die Bienengiftsalbe. Sie wärmt und fördert die Durchblutung. Kostenlos erhältlich ist Bienengift, wenn die Biene sticht.

Rheuma und Arthritis

Bienengift wirkt entzündungshemmend, weil das im Bienengift enthaltene Apamin die körpereigene Cortisonausschüttung der Nebennierenrinde anregt. Bienengift ist auch schmerzstillend und verzögert die Blutgerinnung, was bei Emboliegefahr vorteilhaft ist (110f).

Indikationen
Bienengift kann eingesetzt werden bei
– rheumatischen Muskel- und Gelenkschmerzen
– Sehnenscheiden- und Gelenkentzündungen wie Arthritis und Arthrose
– Ischias
– Sportverletzungen
– Durchblutungsstörungen

Kontraindikationen
– Allergie auf Bienengift
– Nierenerkrankungen
– Neigung zu Blutungen
– Erkrankungen des Zentralnervensystems
– Tumore
– Lebererkrankungen
(110f)

Anwendungsform
Bienenstiche, Injektionen oder Bienengiftsalbe (Bienengiftsalbe, 2 x täglich)

Bienengift stärkt das Immunsystem

Bienengift kann in geringer Dosierung als Reizmittel verabreicht werden. Dieses Verfahren heisst unspezifische Reiztherapie. Dazu injiziert der Arzt Bienengift in einen Muskel.
Diese Therapie soll das Immunsystem stärken (3, 135). Allerdings ist dieser Wirkvorgang nur teilweise bekannt.

Mit Gift gegen Giftallergien

Personen mit Bienengiftallergie können sich gegen das Gift hyposensibilisieren (desensibilisieren) lassen. Dabei werden über einen Zeitraum von 3 bis 5 Jahren geringe Mengen Bienengift gespritzt, wodurch sich der Körper daran gewöhnt und weniger stark oder gar nicht mehr allergisch reagiert (→ S. 87).

7.7 Homöopathische Biene

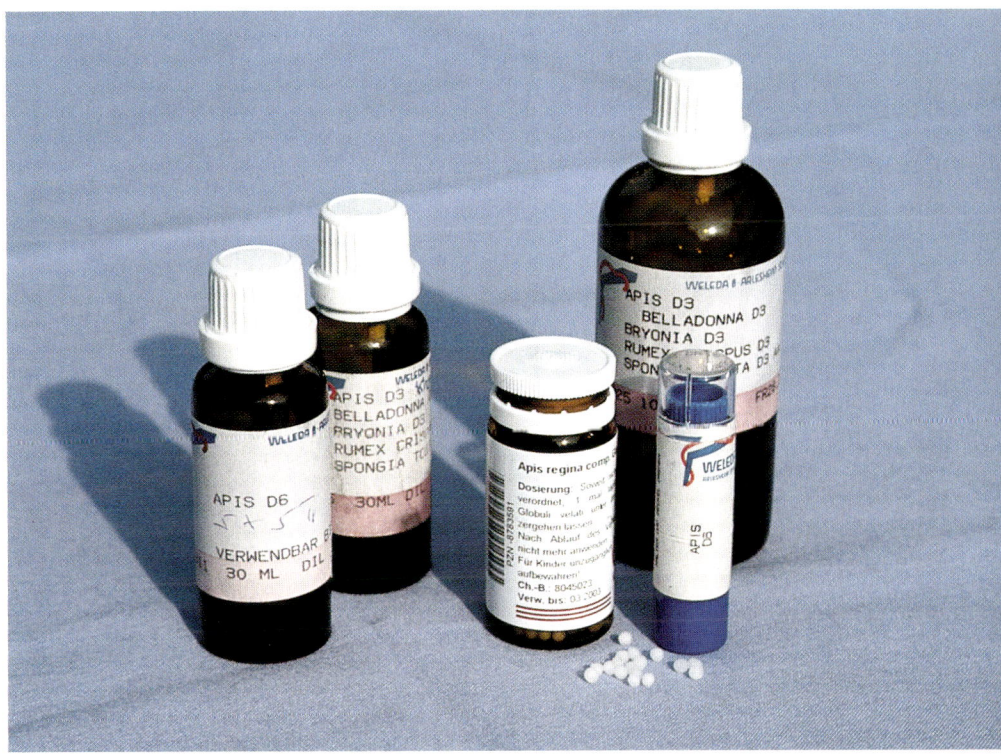

Abb. 74
Homöopathen benutzen *Apis mellifica*
Dies ist ein homöopathisches Mittel, das aus dem ganzen Körper der Honigbienen hergestellt und in verschiedenen Potenzen als Globuli oder flüssig angeboten wird. Wann welches homöopathische Mittel eingenommen werden soll, entscheidet die homöopathisch ausgebildete Fachperson.

Quellen

1. Ballmer-Weber B.K., Huwyler T., Wüthrich B. (1994): Kontaktekzem auf Propolis bei einem Imker. Allergo J. 3 (2) 75–77
2. Bankova V.S., de Castro S.L., Marcucci M.C. (2000): Propolis: recent advances in chemistry and plant origine. Apidologie 31 (1) 3–15
3. Basic I., Varga E. (1979): Immunogenecity of a Mammary Carcinoma and a Fibrosarcoma of CBA Mice. Period. biol. 81, 335–337
4. Benton A. W., Morse R.A., Stewart J.D. (1963): Venom collection from honey bees. Science 142, 228–230
5. Binder S. (1984): Untersuchung über die Beeinflussung der Entwicklung von Bienenvölkern durch den eingetragenen Pollen, insbesondere dessen Rohproteingehalt. Diplomarbeit, ETH Zürich, Entomologisches Institut, Zürich
6. Bkaily G., Simaan M., Jaalouk D., Pothier P. (1997): Effect of apamin and melittin on ion channels and intracellular calcium of heart cells. p. 203–211. In: Bee Products. Properties, Applications, and Apitherapy. Mizrahi A., Lensky Y. (eds.), New York, London: Plenum Press
7. Bloodwoorth B., Harn C., Hock T. and Boon Y. (1995): Liquid Chromatographic Determination of trans-10-Hydroxy-2- Decenoic Acid Content of Commercial Products Containing Royal Jelly. J of AOAC Int. 78, 1019–1123
8. Bogdanov S. (1984): Characterisation of antibacterial substances in honey. Lebensm.-Wiss. u. -Technol. 17, 74–76
9. Bogdanov S. (1987): Honigkristallisation und Honigqualität. Schweiz. Bienen-Zeitung 110 (3) 84–92
10. Bogdanov S. (1988): Bienenvolk und Schadstoffbelastung. Schweiz. Bienen-Zeitung 111 (11), 571–575
11. Bogdanov S. (1989): Blütensortenhonige in der Schweiz. Schweiz. Bienen-Zeitung 112 (12) 681–684
12. Bogdanov S. (1992): Wiederverflüssigung des Honigs. Schweiz. Bienen-Zeitung 115 (9) 519–525
13. Bogdanov S. (1994): Verflüssigung von Honig mit dem Melitherm-Gerät und dem Abdeckelungswachsgerät. Schweiz. Bienen-Zeitung 117 (8) 458–460
14. Bogdanov, S. (1997a): Nature and origin of the antibacterial substances in honey. Lebensm.-Wiss. und -Technol. 30 (7) 748–753
15. Bogdanov S. (1997b): Charakterisierung von Schweizer Sortenhonigen. Agrarforschung 4 (10) 427–430
16. Bogdanov S., Kilchenmann V., Fluri P., Bühler U., Lavanchy P. (1998): Einfluss von organischen Säuren und Komponenten ätherischer Öle auf den Honiggeschmack. Schweiz. Bienen-Zeitung 121 (9) 581–585
17. Bogdanov S., Kilchenmann V., Imdorf A. (1998): Acaricide residues in some bee products. J. Apicult. Research 37 (2) 57–67
18. Bogdanov S., Lehnherr B. (1988): Honig kann fein auskristallisieren und cremig gemacht werden. Schweiz. Bienen-Zeitung 111 (6) 300–303
19. Bogdanov S., Lüllmann C., Martin P., von der Ohe W., Russmann H., Vorwohl G., Persano Oddo L., Sabatini A.G., Marcazzan G.L., Piro R., Flamini C., Morlot M., Lheretier J., Borneck R., Marioleas P., Tsigouri A., Kerkvliet J., Ortiz A., Ivanov T., D'Arcy B., Mossel B., Vit P. (1999): Honey quality, methods of analysis and international regulatory standards: review of the work of the International honey commission. Mitt. Lebensm. Hyg. 90, 108–125
20. Bogdanov S., Zimmerli B., Erard M. (1985): Schwermetalle in Honig, Mitt. Gebiete Lebensm. Hyg. 77, 153–158
21. Brand-Garnys E.E., Sprenger J. (1988): Bienenwachs – Neue Aspekte eines klassischen Kosmetik-Rohstoffes. Z. Körperpflegemittel-, Parfümerie-, Riechstoff-, Aerosol-Industrie 61 (14) 547–552
22. Brüschweiler H., Felber H., Schwager F. (1989): Bienenwachs – Zusammensetzung und Beurteilung der Reinheit durch gaschromatographische Analyse. Fat Sci.Technol. 91, 73–79
23. Bulman M.W. (1955): Honey as a surgical dressing. Middx. Hosp. J. 55, 188–189
24. Bundesamt für Gesundheit (1999): Deklarationslimite für gentechnisch veränderte Lebensmittel. BAG-Bulletin Nr. 26, 460
25. Campos M.G., Cunha A., Markham K.R. (1997): Bee pollen. Composition, properties, and applications. S. 93–100. In: Bee Products. Properties, Applications, and Apitherapy. Mizrahi A., Lensky Y. (eds.), New York, London: Plenum Press
26. Cavanagh D., Bealzey J., Ostapowicz F. (1970): Radical operation of carcinoma of the vulva. J. Obstetrics and Gynaecology 77, 1037–1040
27. Cepurni I. (1998): Der Honig und Stress (Russisch) Pcelovodstvo, Nr. 6, 48–50
28. Charrière, J.D., Hurst J., Imdorf A. und Fluri P. (1999): Bienenvergiftungen. Mitteilung der Sektion Bienen Nr. 35, FAM, Liebefeld, 3003 Bern
29. Chauvin R. (1987): La ruche et l'homme, Calman-Levy, ISBN 2-7021-1543-8
30. Chauvin R. (ed.) (1968): Traité de Biologie de l'Abeille, Vol. 3, Les Produits de la ruche. Paris: Masson et Cie
31. Chauvin R., Lavie P. (1956): zit. in: Herold E., Leibold G. (1991): Heilwerte aus dem Bienenvolk. 12. Aufl. München: Ehrenwirth Verlag. S. 151
32. Coggshall W., Morse R. (1984): Beeswax. Ithaca N. Y.: Wicwas press
33. Collin S., Vanhavre Bodart E., Bouseta A. (1995): Heat treatment of pollens: Impact of their volatile flavour constituents. J. Agric. Food Chem. 43, 444–448
34. Crane E. (1990): Bees and beekeeping: Science, practice and world resources. Ithaca N. Y.: Cornell University Press
35. Dany B. (1989): Rund um den Blütenpollen. S. 39f. München: Ehrenwirth
36. Deutsche Gesellschaft für Ernährung, Österreichische Gesellschaft für Ernährung, Schweizerische Vereinigung für Ernährung/Schweizerische Gesellschaft für Ernährungsforschung (Hrsg.) (2000): Referenzwerte für die Nährstoffzufuhr. Frankfurt a.M./D: Umschau/Braus
37. Dillon J., Louveaux J. (1987): Pollen et Gelée Royale. Cah. Nutr. Diet. 22 (6) 456–464
38. Donadieu Y. (1992): Gelée Royale. Natürliche Heilbehandlung. 5. Aufl., Oppenau: Koch
39. Doner L.W. (1977): The sugars of honey – a review. J. Sci. Fd. Agric. 28, 443–456

Quellen

40 Dotimas E.M., Hider R.C. (1987): Honeybee venom. Bee World 68 (2) 51–70

41 Eich-Wanger C., Müller U.R. (1998): Bee sting allergy in bee-keepers. Clinical and Experimental Allergy 28 (10) 1292–1298

42 Eidgenössische Zollverwaltung: Aussenhandelsstatistik 1984–1998. Bern

43 EU Bio-Honig-Verordnung (1999): Bienenzucht und Imkereierzeugnisse, 12.6.1999, Dok. Nr. 6522/99, DG B II

44 Fakhim Zadeh K. (1998): Improved device for venom extraction. Bee World 79 (1) 52–56

45 Falbe J., Regitz M. (Hrsg.) (1989–92): Römpp Chemie-Lexikon. 9., erweit., überarb. Aufl., Stuttgart: Georg Thieme

46 Ferber C. E. M., Nursten H. E. (1977): The aroma of wax. J. Sci. Fd. Agric. 28, 511–518

47 Fléché C., Clément M.C., Zeggane S., Faucon J.P. (1997): Contamination des produits de la ruche et risques pour la santé humaine: situation en France. Revue scientifique et technique de l'office international des épizooties 16 (2) 609–619

48 Fluri P., Pickard A. (1999): Bienenhaltung in der Schweiz. Mitteilung des Zentrums für Bienenforschung Liebefeld

49 Franchi G.G., Franchi G., Corti Pompella A. (1997): Microspectroscopie evaluation of digestibility of pollen grains. Plant Foods for Human Nutrition 50, 115–126

50 Frank R. (1998): Die Bedeutung des Honigs in der heutigen Ernährung. Schweiz. Bienen-Zeitung, 121 (10) 636–644

51 Frankel S., Robinson G., Berenbaum M. (1998): Antioxidant capacity and correlated characteristics of 14 unifloral honeys. Journal of Apicultural Research 37 (1) 27–31

52 Französischer Berufsimkerbund (1998): Der Skandal der Honigverfälschung. Ein weltweiter Betrug – Hauptangeklagter: China. Imkerei-Technik Magazin (2) 14–24

53 Friedrich W. (1987): Handbuch der Vitamine. S. 398ff. München: Urban & Schwarzenberg (neu: Urban & Fischer)

54 Gayger J., Dustmann J. (1985): Rückstandsuntersuchungen von Bienenprodukten, Wachs, Honig und Pollen. Archiv Lebensmit. Hyg. 36, 77–90

55 Ghisalberti E.L. (1974): Propolis: a review. Bee World 55, 59–84

56 Gonnet M., Lavie P., Louveaux J. (1964): La pasteurisation des miels. Ann. Abeilles 7, 81–102

57 Greenaway W., Scaysbrook T., Whatley F.R. (1990): The composition and plant origins of propolis: a report of work at Oxford. Bee World 71, 107–118

58 Guidotti M., Vitali M. (1998): Identification of volatile organic compounds present in different honeys through SPME and GC/MS. Industrie Alimentari 37 (368) 351–353

59 Hansen H., Brodsgaard C.J. (1999): American foulbrood: a review of its biology, diagnosis and control. Bee World 80 (1) 5–23

60 Hay K.D., Greig D.E. (1990): Propolis allergy: A cause of oral mucositis with ulceration. Oral Surg., Oral Med., Oral Pathol. 70, 584–586

61 Haydak M. H. (1943): Larval Food and development of castes in the honey-bee. J. Econ. Entomol. 36, 778–792

62 Heitkamp K. (1984): Pro und Kontra Honig. Sind Aussagen zur Heilwirkung des Honigs „wissenschaftlich gesichert"? Schriften zur Oecotrophologie Nr. 3, Bober S., Martienss R., Piorkowsky M.-B., Reimer J.-M. (Hrsg.), Fachhochschule Hamburg

63 Helbling A., Peter Ch., Berchtold E., Bogdanov S., Muller U. (1992): Allergy to honey: Relation to pollen and honey-bee allergy. Allergy Eur., J. Allergy Clin. Immunol. 47, 41–49

64 Helbling A., Wüthrich B. (1987): Ein ungewöhnlicher Fall von Honigallergie. Allergologie 10 (7) 252–255

65 Helmig-Jacoby L. (1991): Propoliszubereitungen. Deutsches Imker-Journal, Heft 6, 228–231

66 Hepburn H. (1986): Honeybees and Wax. Berlin: Springer Verlag
66a 66, S. 88

67 Hörander E., Hutsteiner H., Moosbeckhofer R., Zecha-Machly H. (1993): Von Bienen und Imkern, von Wachs und Honig. Wien: Christian Brandstätter

68 Horn H., Lüllmann C. (1992): Das grosse Honigbuch. München: Ehrenwirth
68a 68, S. 113
68b 68, S. 114
68c 68, S. 133
68d 68, S. 174

69 Horn H. (1991): Die Kristallisation des Bienenhonigs. Grundlegende chemisch-physikalische Zusammenhänge. Bienenpflege (11) 323–326 und (12) 361–363

70 Horn H. (1992): Die Kristallisation des Bienenhonigs. Grundlegende chemisch-physikalische Zusammenhänge. Bienenpflege (1) 9–13 und (2) 44–48

71 Huber F. (1814): Nouvelles observations sur les abeilles. Paris et Genève: J.J. Paschoud

72 Imdorf A. (1983): Polleneintrag eines Bienenvolkes aufgrund des Rückbehaltes in der Pollenfalle 106 (2,4) 69–77, 184–195

73 Imdorf A., Bogdanov S., Kilchenmann V., Wille H. (1985): ‚Zementhonig' im Honig- und Brutraum – was dann? Schweiz. Bienen-Zeitung. 108, (10) 534–544 und (11) 581–590

74 Ivanov T. (1980): Composition and properties of propolis. Animal Science 17 (8) 96–102 (in Bulgarisch, englische Zusammenfassung)

75 Ivanov T., Skenderov S. (1983): Bienenprodukte, Sofia (in Bulgarisch, englische Zusammenfassung)

76 Jackson J.L., Houghton P.D., Snider P. (1983): Bee pollen: review of clinical studies and case reports. International Journal Biosocial Research 5, 47–52

77 Jéanne F. (1985): La refonte du miel. Bull. Tech. Apic. 12 (1) 33–40

78 Jéanne F. (1994): Le Pollen. Bul. Tech. Apic. S. 303–318. Guide pratique de l'Apiculture. Centre Apicole, F-Echauffour

79 Johansen C.A., Mayer D.F. (1990): Pollinator protection: a bee and pesticide handbook. Cheshire, Connecticut, USA: Wicwas Press

80 Kirk W. (1994): A colour guide to pollen loads of honey-bee. International Bee Research Association: Cardiff

81 Kloft W., Kunkel H. (Hrsg.) (1985): Waldtracht und Waldhonig in der Imkerei. München: Ehrenwirth Verlag

82 König B., Dustmann J.H. (1988): Baumharze, Bienen und antivirale Chemotherapie. Naturwissenschaftliche Rundschau 41 (2) 43–53

83 Krivtzov N., Lebedev V. (1995): Bienenprodukte. (Russ.) Russland: Niva

84 Lavie P. (1960): Les substances antibactériennes dans la colonie d'abeilles (Apis mellifica). Annales de l'abeille 3 (3) 103–299

85 Liebig G. (1999): Die Waldtracht. Stuttgart: Selbstverlag. S. 186–196

Quellen

86	Lindner E. (1990): Toxikologie der Nahrungsmittel. 4., überarb., erweit. Aufl., Stuttgart: Georg Thieme. S. 56ff	108	Pharmacopoe Helvetica (1997), Bern: Eidg. Material- und Druckzentrale
87	Lercker G., Vecchi M.A., Piana L., Nanetti A., Sabatini A.G. (1984): Composition de la fraction lipidique de la gelée de larves d'abeilles reines et ouvrières (Apis mellifera ligustica Spinola) en fonction de l'age des larves. Apidologie 15f (3) 303–314	109	Postmes Theo (1997): Honig und Wundheilung. Bremen: Altera
88	Lochhead A. G. (1933): Factors concerned with the fermentation of honey. Zent. Bakt. Paras. u. Infect. II, 88, 296–302	110	Potschinkova P. (1992): Bienenprodukte in der Medizin. 2. Aufl. München: Ehrenwirth Verlag
89	Machova M. (1993): Resistance of Bacillus-larvae in beeswax. Apidologie 24 (1) 25–31	110a	110, S. 56 ff.
90	Marcucci M.C. (1995): Propolis: chemical composition, biological properties and therapeutic activity. Apidologie 26, 83–99	110b	110, S. 65 ff.
91	Markovic O., Mollnar L. (1954): Isolation of and determination of bee venom. Chemicke Zvesti 8, 80–90	110c	110, S. 41 ff.
92	Meyer W. (1956): „Propolis bees" and their activities. Bee World 37 (2) 25–36	110d	110, S. 73 ff.
93	Mokry L., Dietschi R., Wüthrich B. (1985): Orale Behandlung der Pollenallergie. DIA-GM (6) 60–71	110e	110, S. 51 ff.
94	Molan P.C. (1992): The antibacterial activity of honey. 1. The nature of the antibacterial activity. Bee World 73, 5–28	110f	110, S. 34 ff.
95	Molan P.C. (1997): Honey as an antimicrobial agent. S. 27–37. In: Bee Products. Properties, Applications, and Apitherapy. Mizrahi A., Lensky Y. (eds.), New York, London: Plenum Press	111	Potschinkova P. (1996): Handbuch der Apireflextherapie. Stuttgart: Sonntag
96	Moosbeckhofer R., Ulz J. (1996): Der erfolgreiche Imker. Graz, Stuttgart: Leopold Stocker. S. 129–134	111a	111, S. 140 ff.
97	Morales W.F., Garbarino J.L. (1997): Clinical evaluation of a new hypoallergic formula of propolis on dressings. S. 101–105. In: Bee Products. Properties, Applications, and Apitherapy. Mizrahi A., Lensky Y. (eds.), New York, London: Plenum Press	111b	111, S. 143 ff.
98	Morse G. (1975): Über Propolis und ihre Verwendung im Bienenvolk. S. 11–15. In: Die Propolis. Apimondia (Hrsg.) Bukarest	111c	111, S. 131 ff.
99	Müller U.R., Fricker M., Wymann D., Blaser K., Crameri R. (1997): Increased specificity of diagnostic tests with recombinant major bee venom allergen phospholipase A2. Clinical and Experimental Allergy 27 (8) 915–920	111d	111, S. 146 ff.
100	Müller U.R. (1988): Insektenstichallergie. Klinik, Diagnostik und Therapie. Stuttgart: Gustav Fischer	111e	111, S. 137 ff.
101	Nencev P., Pihov I. and Andonova S. (1995): Yielding Bee Venom. Videofilm. Bern-Liebefeld: Schweiz. Zentrum für Bienenforschung	111f	111, S. 127 ff.
102	Nowottnick K. (1992): Bienengift – Anwendung und Gewinnung. Allg. Deutsche Imkerzeitung. (4) 12–14	112	Raloff J. (1999): Honig schützt Nahrungsmittel vor Verderb. Schweiz. Bienen-Zeitung 122, 20–21
103	Nowottnik K. (1994): Propolis – Gewinnung, Rezepte, Anwendung. Graz, Stuttgart: Leopold Stocker	113	Reimers A., Müller U.R (1998): Bienen- und Wespengiftallergie. Der informierende Arzt 19, 602–608
104	Ogren W. (1990): What in the world is propolis used for? Am. Bee J. April, 239–240	114	Rembold H. (1987): Caste differentiation of the honeybee, fourteen years of biochemical research at Martinsriedin Eder/Rembold. In: Chemistry and Biology of Insects. München: Peperny. Seiten 3–13
105	Okuda H., Kameda K., Morimoto C., Matsaura Y., Chikaki M., Jiang M. (1998): Studies on insulin-like substances and inhibitory substances towards angiotiensin-converting enzyme in royal jelly. Honeybee Science 19, 9–14	115	Ricciardelli d'Albore (1979): G. L'origine géographique de la propolis. Apidologie 10 (3) 241–267
106	Park Jong-Song, Woo Kun-Suk (1997): The usage and composition of propolis added cosmetics in Korea. S. 121–124. In: Bee Products, Properties, Applications, and Apitherapy. Mizrahi A., Lensky Y. (eds.), New York, London: Plenum Press	116	Ricciardelli d'Albore G., Battaglini Bernardini M. (1978): Origine géographique de la Gelée royale. Apidologie 9 (1) 1–17
		117	Sägesser D. (1996): Etikettenschwindel mit Alpenrosen. Der teuerste Honig hält nicht, was er verspricht. K-Tip (3) 11–14
		118	Sasvary T., Müller U.R (1994): Todesfälle an Insektenstichen in der Schweiz 1978 bis 1987. Schweiz. Med. Wochenschr. 124, 1887–1894
		119	Schley P., Büskes-Schulz B. (1987): Die Kristallisation des Bienenhonigs. Teil 1: Grundlegende Zusammenhänge. Die Biene 123 (1) 5–10, (2) 46–50, (3) 114–118, (4) 186–187 und (5) 245–247
		120	Schweizerische Pollenimker Vereinigung: Naturreiner Schweizer Blütenpollen. Broschüre, BAG D 3726. Alois Roth, Wila
		121	Schweizerisches Lebensmittelbuch, Kapitel 23A. Honig. Bern: Eidgenössische Druck- und Materialzentrale
		122	Schweizerisches Lebensmittelbuch: Kapitel 23B. Pollen (Entwurf 2000). Bern: Eidg. Druck- und Materialzentrale
		123	Schweizerisches Lebensmittelbuch: Kapitel 23C. Gelée Royal (Entwurf 2000). Bern: Eidg. Druck- und Materialzentrale
		124	Serra Bonvehi J. (1991): Composition en sels minéraux et en vitamines de la gelée royale. Bulletin Technique Apicole 74 (18) 13–20
		125	Serra Bonvehi J., Gonell Galindo J., Gomez Pajuelo A.(1986): Estudio de la composicion y caracteristicas fisico-quimicas del polen de abejas. Alimentaria 63–67
107	Park Y.K., Ikegaki M. (1998): Preparation of water and ethanolic extracts of propolis and evaluation of the preparations. Bioscience, Biotechnology and Biochemistry 62 (11) 2230–2232	126	Serra Bonvehi J., Ventura Coll F. (1994): Phenolic composition of propolis from China and from South America. Z. Naturforschung 49c, 712–718
		127	Simics M. (1998): Commercial bee venom collection. Bee Biz 7, 19–20

128 Skenderov S., Ivanov T. (1983): Bienenprodukte. (Bulg.) Sofia: Zemizdat Verlag (bulgarisch)

129 Snowdon J. A., Cliver D. O. (1996): Microorganisms in honey. International Journal of Food Microbiology 31 (1/3) 1–26

130 Sorkum K., Bozcuk S., Gömürgen A.N., Telkin F. (1997): An inhibitory effect of propolis on germination and cell division in the root tips of wheat seedlings. S. 129–136. In: Bee Products. Properties, Applications, and Apitherapy. Mizrahi A., Lensky Y. (eds.), New York, London: Plenum Press

131 Stanley R.G., Linskens H. F. (1985): Pollen. Biologie, Biochemie, Gewinnung und Anwendung. Greifenberg/Ammersee, D

131a 131, S. 47

132 Stöckli H. (1997): Bienenwachs mit Oxalsäure geläutert. Schweiz. Bienen-Zeitung 120, 688–690

133 Strasburger E., Noll F., Schenck H., Schimper A.F.W. (1978): Lehrbuch der Botanik. 31. Aufl., neubearb. durch D. von Denffer, F. Ehrendorfer, K. Mägdefrau, H. Ziegler. Stuttgart: Gustav Fischer. S. 704

134 Talpay B. (1984): Der Pollen, Versuch einer Standortbestimmung. Institut für Honigforschung, Bremen/D

135 Terè F., zitiert in: Uccusic P. (1982): Doktor Biene. Bienenprodukte – ihre Heilkraft und Anwendung. München: Heine

136 Tomás-Barberán F.A., Ferreres F., Garcia-Viguera C., Tomas-Lorente F. (1993): Flavonoids in honey of different geographical origin. Z. Lebensm. Unters. Forsch. 196, 38–44

137 Townsend G., Morgan J., Tolnai S., Hazlett B., Morton H., Shuel R. (1960): Studies on the in vitro antitumor activity of fatty acids from royal jelly. Cancer Research, 20, 503–510

138 Tulloch A. (1980): Beeswax-Composition and Analysis. Bee World 61, 47–62

139 Vanhaelen M., Vanhaelen-Fastré R. (1979): Propolis – II. Identification par chromatographies haute-performance (liquide, gaz-liquide et sur couches minces) des constituants. Bioautographie des chromatogrammes des composés antibactériens. Pharm. Belg. 34 (6) 317–328

140 Verband Schweizerischer Bienenzüchtervereine (1993): Reglement für die Honigkontrolle. Schweiz. Bienen-Zeitung 116 (1) 44–48

141 Vlayen P. (1994): Miel et botulisme. Les carnets du CARI (46) 14–16

142 Walker P., Crane E. (1987): Constituents of propolis. Apidologie 18, Heft 4, 327–334

143 Wallner K. (1991): Das Wachsmottenbekämpfungsmittel Paradichlorbenzol. Schweiz. Bienen-Zeitung 114, 582–587

144 Wallner K. (1999): Varroacides and their residues in bee products. Apidologie 30, 235–248

145 Watzl B., Leitzmann C. (1999): Bioaktive Substanzen in Lebensmitteln. 2. überarb. u. erweit. Aufl., Stuttgart: Hippokrates

145a 145, S. 86

145b 145, S. 41 ff.

145c 145, S. 28 f.

145d 145, S. 74 ff.

146 Weber V. (1991): Das Wachsbuch. 4., überarb. Aufl., München: Ehrenwirth

147 White J. (1975a): Physical characteristics of honey. S. 207–239. In: Honey, a comprehensive survey. Crane E. (ed.), London: Heinemann

148 White J. (1975b): Composition of honey. S. 157–206. In: Honey, a comprehensive survey. Crane E. (ed.), London: Heinemann

149 Wille H., Wille M., Bogdanov S. (1989a): Welche Pollenarten enthalten die Honige aus dem schweizerischen Mittelland? Schweiz. Bienen-Zeitung 112 (3) 145–155

150 Wille H., Wille M., Bogdanov S. (1989b): Schweizerische Sortenhonige: Pollenanalytischer Vergleich von Honigen aus den 30er und 80er Jahren, Schweiz. Bienen-Zeitung 112 (4) 215–225

151 Wille H., Wille M., Bogdanov S. (1989c): Schweizerische Sortenhonige aus dem Tessin. Pollenanalytischer Vergleich von Honigen aus den 30er und 80er Jahren. Schweiz. Bienen-Zeitung 112 (5) 284–288

152 Woisky R.G., Salatino A. (1998): Analysis of propolis: some parameters and procedures for chemical quality control. Journal of Apicultural Research 37 (2) 99–105

153 Yamamoto T. (1997): Present state of basic studies on propolis in Japan. S. 107–120. In: Bee Products. Properties, Applications, and Apitherapy. Mizrahi A., Lensky Y. (eds.), New York, London: Plenum Press

154 Yonekura M. (1998): Characterization and physiological function of royal jelly proteins. Honeybee Science 19, 15–22

Weiterführende Literatur

Honig

Crane E. (1975): Honey, a comprehensive survey. London: William Heinemann

Crane E., Walker P., Day R., (1984): Directory of important world honey sources. London: International Bee Association

Gonnet M., Vache G. (1985): Le goût du miel. Paris/F: U. N. A. F.

Heitkamp K. (1984): Pro und Kontra Honig. Sind Aussagen zur Heilwirkung des Honigs „wissenschaftlich gesichert"? Schriften zur Oecotrophologie Nr. 3, Bober S., Martienss R., Piorkowsky M.-B., Reimer J.-M. (Hrsg.), Fachhochschule Hamburg

Horn H., Lüllmann C. (1992): Das grosse Honigbuch. München: Ehrenwirth

Horn H. (1991): Die Kristallisation des Bienenhonigs. Grundlegende chemisch-physikalische Zusammenhänge. Bienenpflege (11) 323–326 und (12) 361–363

Horn H. (1992): Die Kristallisation des Bienenhonigs. Grundlegende chemisch-physikalische Zusammenhänge. Bienenpflege (1) 9–13 und (2) 44–48

Kloft W., Kunkel H. (Hrsg.) (1985): Waldtracht und Waldhonig in der Imkerei.
München: Ehrenwirth Verlag

Liebig G., (1999): Die Waldtracht. Stuttgart: Selbstverlag

Lipp J., Zander E., Koch A. (1994): Der Honig. Stuttgart: Eugen Ulmer

Louveaux J., Maurizio A., Vorwohl G. (1978): Methods of melissopalynology, Bee World 59, 139–162

Maurizio A., Schaper F. (1994): Das Trachtpflanzenbuch. Nektar und Pollen – die wichtigsten Nahrungsquellen der Honigbiene München: Ehrenwirth

National Honey Board (1998): Honey Information Kit, Longmont, CO 80501, USA, Internet http:// www.nhb.org

Persano Oddo, Piana L., Sabatini A.G. (1997): Conoscere il miele. Bologna/I: Avenue Media

Ricciardelli d'Albore G. (1997): Textbook of Melissopalynology. Bukarest, Romania: Apimondia Publishing House

Schley P., Büskes-Schulz B. (1987): Die Kristallisation des Bienenhonigs. Teil 1: Grundlegende Zusammenhänge. Die Biene 123 (1) 5–10, (2) 46–50, (3) 114–118, (4) 186–187 und (5) 245–247

Schweizerisches Lebensmittelbuch, Kapitel 23A. Honig. Bern: Eidgenössische Druck- und Materialzentrale

Pollen

Maurizio A., Schaper F. (1994): Das Trachtpflanzenbuch. Nektar und Pollen – die wichtigsten Nahrungsquellen der Honigbiene München: Ehrenwirth

Schweizerisches Lebensmittelbuch: Kapitel 23B. Pollen (Entwurf 2000). Bern: Eidg. Druck- und Materialzentrale

Stanley R.G., Linskens H. F. (1985): Pollen. Biologie, Biochemie, Gewinnung und Anwendung. Greifenberg/Ammersee, D

Talpay B. (1984): Der Pollen, Versuch einer Standortbestimmung. Institut für Honigforschung, Bremen/D

Wille H., Imdorf A., Bühlmann G., Kilchenmann V., Wille M. (1985): Beziehungen zwischen Polleneintrag, Brutaufzucht und mittlerer Lebenserwartung der Arbeiterinnen in Bienenvölkern (Apis mellifica L.). Mitt. Schweiz. Entomol. Gesell. 58 (1–2) 205–214

Wachs

Coggshall W., Morse R. (1984): Beeswax. Ithaca N. Y.: Wicwas press

Hepburn H. (1986): Honeybees and Wax. Berlin: Springer Verlag

Tulloch A. (1980): Beeswax-Composition and Analysis. Bee World 61, 47–62

Weber V. (1991): Das Wachsbuch. 4., überarb. Aufl., München: Ehrenwirth

Propolis

Bankova V.S., de Castro S.L., Marcucci M.C. (2000): Propolis: recent advances in chemistry and plant origine. Apidologie 31 (1) 3–15

Harnji V. (Hrsg.) (1975): Die Propolis. Bukarest: Apimondia

Marcucci M.C. (1995): Propolis: chemical composition, biological properties and therapeutic activity. Apidologie 26, 83–99

Nowottnik K. (1994): Propolis – Gewinnung, Rezepte, Anwendung. Graz, Stuttgart: Leopold Stocker

Gelée Royale

Rembold H. (1987): Caste differentiation of the honeybee, fourteen years of biochemical research at Martinsriedin Eder/Rembold. S. 3–13. In: Chemistry and Biology of Insects. München: Peperny

Schweizerisches Lebensmittelbuch: Kapitel 23C. Gelée Royal (Entwurf 2000). Bern: Eidg. Druck- und Materialzentrale

Bienengift

Dotimas E.M., Hider R.C. (1987): Honeybee venom. Bee World 68 (2) 51–70

Eich-Wanger C., Müller U.R. (1998): Bee sting allergy in beekeepers. Clinical and Experimental Allergy 28 (10) 1292–1298

Müller U.R. (1988): Insektenstichallergie. Klinik, Diagnostik und Therapie. Stuttgart: Gustav Fischer

Reimers A., Müller U.R (1998): Bienen- und Wespengiftallergie. Der informierende Arzt 19, 602–608

Apitherapie

Heitkamp K. (1984): Pro und Kontra Honig. Sind Aussagen zur Heilwirkung des Honigs „wissenschaftlich gesichert"? Schriften zur Oecotrophologie Nr. 3, Bober S., Martienss R., Piorkowsky M.-B.,Reimer J.-M. (Hrsg.), Fachhochschule Hamburg

Postmes Theo (1997): Honig und Wundheilung. Bremen: Altera

Potschinkova P. (1992): Bienenprodukte in der Medizin. 2. Aufl. München: Ehrenwirth Verlag

Potschinkova P. (1996): Handbuch der Apireflextherapie. Stuttgart: Sonntag

Register

A

Akarizide
    Bienenwachs 59, 60
    Honig 26, 36
    Propolis 70
Allergien
    Bienengift 84, 98
    Honig 28, 93
    Hyposensibilisierung 83, 87, 98
    Pollen 50, 94, 98
    Propolis 69, 95
antibakteriell 28, 78, 94
Antibiotika 26, 94
antioxidativ 49, 70
antiviral 70
Apamin 84, 98
Apisinum (→ Bienengift)
Apitherapie
    Bienengift 98
    Bienenwachs 97
    Gelée Royale 96
    Gesetz 90
    Homöopathie 99
    Honig 90
    Pollen 94
    Propolis 95
Arthritis 98

B

bakterizid 70
Bienenbrot
    Ernte 45
    Herstellung, Biene 42
Bienengift
    Allergie 86, 98
    Apitherapie 98
    Ernte 82
    Hyposensibilisierung 83, 87
    Inhaltsstoffe 83
    Lagerung 82
    Qualität 85
    Wirkungen 83
Bienenstich, Sofortmassnahmen 86
Bienenstichallergie, Sofortmassnahmen 87
Bienenwachs
    Apitherapie 97
    Bildung, Biene 54
    Bleichen 58
    Faulbrut 57, 60
    Gesetz 63
    Gewinnung 55
    Inhaltsstoffe 59
    Lagerung 58
    Mittelwände, Produktion 62
    Qualität 60, 61
    Schmelzverfahren 55
    Verfälschung 60, 61
    Verunreinigung 59
    Verwendung 63
    Wachsmotte 58
    Wirtschaft 63
Biopterin 76, 96
Blütenpollen → Pollen

E

Elektroerregung 82
Entzündungen 94, 95, 97, 98
Enzyme
    Amylase 10
    Diastase 10, 15, 21
    Enzymaktivität 15
    Glucoseoxidase 10, 93
    Hyaluronidase 84
    Invertase 10, 14, 15, 21
    Saccharase 10

F

Flavonoide 49, 48
fungizid 70

G

Gelée Royale
    Apitherapie 96
    Ernährung 78
    Ernte 74
    Gesetz 79
    Handel 79
    Inhaltsstoffe 76
    Lagerung 76
    Qualität 78
    Reinigung 76
    Verfälschung 78
    Wirkung 78
gesetzliche Vorschriften → bei den einzelnen Bienenprodukten
Glucoseoxidase → Enzyme
Goldsiegel 33

H

Histamin 83
Holzbehandlung 60, 69
Honig
    Abschäumen 12
    Allergie 28
    Apitherapie 89
    Bakterien 25
Bio-Honig 29
Blatthonig 29
Blütenbildung 17
Blütenhonig 24
Deklaration 28, 35
Dichte 22
Entstehung 10
Ernte 12
Ernährung 27
Gefässe 14
Gärung 11, 14, 17, 26
Gesetz 35
Gifte 25
Honigdegustation 32
Honigfehler 17
Honigkontrolle 33
Honigtau 9
Honigtauhonig 29
Honigwettbewerb 32
Hygiene 16
impfen 19
Inhaltsstoffe 23
Konsistenz 22
Kristallisation 16
Kristallisation, gelenkte 18
Kristallisationsfehler 17
Lagerung 14
Leitfähigkeit, elektrische 22
Melezitosehonig 13
Mutterlauge 17
Nektar 8
optische Drehung 22
Presshonig 35
pH-Wert 24
Polarisation → optische Drehung
Qualität 34
Qualitätshonig 34
Reife 11
rühren 18
Scheibenhonig 13
Säuren 23
schleudern 12
sensorische Prüfung 32
Sortenhonig 28, 30
Tannenhonig 29
Tropfhonig 35
Verfälschung 38
verflüssigen 20
Verkauf 39
Verunreinigung 26
Viskosität 22
Waldhonig 13, 24
Wärmeleitfähigkeit 22

103

Register

Wassergehalt 11, 24, 34
Wirtschaft 38
Wirkungen 27
Zementhonig 13
10-Hydroxy-2-decensäure 76, 77, 78
Hyaluronidase → Enzyme
Hydroxymethylfurfural HMF 15, 21, 23
Hyposensibilisierung → Allergien

I
Imkerglobol → Paradichlorbenzol
Immunsystem 95, 98
Inhibine 28
Inhibinwirkung 14, 15, 22

K
Karies 27
Kittverhalten 66
Krebs 49, 70, 78, 94, 98

M
Melitherm 20
Melittin 84
Nahrungsergänzung 94, 96

N
Neopterin 76

P
Paradichlorbenzol 26, 58, 59, 60, 70
Phytoöstrogene 48, 49
Phytosterin 48, 49

Pollen
  Allergie 50, 93, 94, 98
  Analyse 37
  Apitherapie 94
  Aussehen 43
  Bienenbrot → dort
  Ernährung 50
  Ernte 44
  Farbenvielfalt 43
  Gentechnik 49
  Gesetz 51
  Handel 51
  Inhaltsstoffe 47
  Lagerung 46
  Pestizide 49
  Pollenfalle 45
  Pollenhöschen 42
  Qualität 50
  Verarbeitung 46
  Verunreinigung 49
  Wirkung 47, 94
Polyphenole 69
Prolin 23
Propolis
  Allergie 69, 95
  Apitherapie 95
  Ernte 67
  Gesetz 70
  Herkunft 66
  Inhaltsstoffe 68
  Lagerung 68
  Qualität 70
  Salbe 96
  Sammeln, Biene 66
  Tinkturen 68, 96
  Verarbeitung 68
  Verwendung 26, 72
  Wirkung 68, 70, 95
Prostatitis 94

R
radioaktive Stoffe 27
Refraktometer 11
rheumatische Entzündungen 98

S
Säuglingsbotulismus 26
Säuren, Honig 23
Schwangere 94
Schwermetalle 26
Sorgfaltspflicht 35
Spitzensportler 94
Stress 94

V
Varroabekämpfungsmittel → Akarizide
Verdauung 93, 94, 96

W
Wachsmotte 58
Wasserstoffperoxid 10, 15, 22, 93
Wundbehandlung 90, 95